LDは治癒可能

学習するとニューロンの構造が変わる

TAMANAGA Kimiko
玉永公子

論創社

目次

[Ⅱ] 脳の領域と認知機能

[Ⅲ] 音がもたらす神経可塑性

はじめに

この書は、Learning Disabilities（日本で「学習障害」と訳された）は、治癒可能であるということをお伝えするために書いています。以下、「である」調で表現します。

神経可塑性によって、ＬＤ（学習機能不全／不調）は治癒可能であると知ったとき、このことを教育活動に適用するには、神経科学についての知識と、神経可塑性を科学的に証明できる、ｆＭＲＩ（機能的磁気共鳴画像）等の機器を備えなければならないと思った。

それで、脳の神経細胞（ニューロン）に関して、初歩的な事柄を学ぶうちに、科学的であることは重要であるが、そのような機器を備えなくても、「ＬＤ状態がなくなった」という結果が、神経可塑性を証明していると捉えることができるのではないかと、考えるようになった。

その考えは、「エリック・カンデルがノーベル賞を受賞した研究成果がある」という閃きから起きていた。

ＬＤ用語が生まれたのは、１９６３年、アメリカである。イリノイ大学のサミュエル・カーク博士が、子どものことで話し合う会議に、講演者として出席していた。講演の中で博士は、「Learning Disabilities」という言葉を使った。

それまで、自分らの子どもが、stupid（愚かな、くだらない）、clumsy（不器用な、気のきかない）等と呼ばれていたことが不愉快であった参加していた父母たちは、「Learning Disabilities」、という用語を受け入れた。

世界中の公立の小学校に、スロー、あわてんぼう、ぶきっちょ、注意散漫、落ち着きがない、多動、よく転ぶ、よくぶつかる、左右をまちがえる、計算ができない、読み困難がある、等といった状態の子どもたちが存在することは、稀ではない。

はじめは、教室で起きるそのような状態はすべて、ＬＤ用語に含まれていた。しかし今では、不注意や多動など、態度や行動的なことは、ＡＤＤ（Attention Deficit Disorder＝注意欠如）やＡＤＨＤ（Attention Deficit Hyper Activity Disorder＝注意欠如・多動性）という用語で対応されるようになっている。因みに、Learning Disorder は医学的用語、Learning Disabilities は教育学的用語である。

そして、ＬＤ用語は「計画性がない、時間が守れない、整理整頓ができない、空間を認知する力が弱い、左右の感覚に迷う、読み困難がある、計算が困難である、単語をうまく発音できない」等々の、認知機能の状態を指して使われている。

ＬＤは、あるかないか分からない「微細な」状態から、困難を感じる「重度な」状態まで、さまざまな程度があり、多くの人に、その中の1つ、またはいくつかの特徴が存在する、と言っても過言ではない。

１９６３年に、カーク博士がスピーチするまで使われていなかった用語、Learning Disabilitiesは、日本語で「学習障害」と訳されたが、現在では、「限局性学習症」という用語になっている。

「限局性学習症」という用語を考えた人は、脳の限られた部位だけが、ＬＤ状態の原因になっていると捉えたからであろう。しかし、神経心理学者、ルリヤは「人間が行なう複雑な行為は、神経細胞（ニューロン）のネットワークが機能している。脳内の特定部位の働きだけではない」という理論を掲げている。

しかし、「ブロードマン・エリアと機能」を学ぶと、ある領域の機能を遂行するためには特定の神経細胞（ニューロン）が必要だと記されている。「ブロードマン・エリア」は、神経学者ブロードマンが作成した脳の領域を示した地図である。

ルリヤのネットワーク理論と、特定の神経細胞の働きが必要というブロードマンの知見については、以下のように捉えている。

「特定部位で起きる機能不全な状態が、ネットワーク・システム上の他の部位にも及び、ネットワークとして働いている」という理解である。

さて、このＬＤ状態は器質的で、治癒できないと言われていた。「その状態は永久に続き、治療するようなものではない」と教わった筆者のＬＤ観は、そこで終始符がついていた。

しかし、「神経細胞（ニューロン）には可塑性があり、ＬＤは治癒可能である」と紹介しているドクター・ドイジの書を読んだとき、「神経可塑性」によって治癒できるのならば、その理論と方法について学び、ＬＤについての自分の認識を変えなければならないと思った。終始符をつけている場合ではないと。

それまでは、補償と共にそれぞれの教師が優れた対処法をもって、学習指導をするしかないと考えていたが、「ＬＤは治癒できず対処あるのみ」、という概念を変えなければならないときがやって来たのである。

わずか半世紀の間に、ＬＤ状態は「治癒不可能」から「治癒可能」に変わった。今後、神経可塑性を起こすさまざまな手段が提示されて、多くのＬＤ状態は治癒されていくのだろう。

遠い未来に、人間の脳の神経細胞を何らかの方法で、完全な形にすることができるようになるかもしれない。そうなると、人間にＬＤ（学習機能不全／不調）といった状態はなくなり、全員が完全な形の神経細胞を持ち、同じ能力で、同じ立ち居振る舞いをするようになるのであろうか？　そうなったら、ＬＤ用語を使う必要はなくなる。

過去において、「ＬＤは治癒できず対処あるのみ」と述べてきたことを訂正し、現時点で、「ＬＤは神経可塑性によって治癒可能である」ということをお伝えするために、今、これを書いている。

まずは、神経可塑性を起こす手段として、ドクター・ノーマン・ドイジが紹介している、バーバラ・アロースミスさんの「外部からの刺激で神経可塑性」を目指す方法と、アルフレッド・トマティス医師の「サウンド・セラピー」により、皮質下に音の刺激を送る方法を学んでいく。

さらに、*A Primer on Dyslexia*（ディスレクシアの初歩読本、題名意訳―筆者）の著者サンディ・エッツライン夫人の体験的、直観的な訓練法と、*The Runaway Learning Machine: Growing up Dyslexic*（一斉授業からの逃避：ディスレクシアと共に育つ、題名意訳―筆者）の著者ジェームス・バウアー氏が受けた訓練、マルチセンソリ・アプローチについて復習し、神経可塑性について考察していく。

[I] 神経の固定配線から神経可塑性へ

1　エリック・カンデルのノーベル賞受賞

ドクター・ノーマン・ドイジ著『脳は奇跡を起こす』に、神経可塑性によって、ＬＤ（学習機能不全／不調）は治癒可能であることが、詳細に綴られている。

既に述べたが、ＬＤは器質的で「治すことができない」と教わった筆者は、それ以外のことを考える必要はないと思っていた。したがってその対応は、「できない」ことをさまざまな工夫でわかるように教える、または補償教育をするしかないと、長年、人々にそう伝えてきた。「工夫や補償教育はできるが、治癒はできない」と。

脳の神経配線は固定されていて、それは変更不可能であるというのが、ここ数百年間の神経学者たちの見解であった。したがって、機能不全な状態を持って生まれた人たちは皆、その器質と共に、一生を過ごさねばならないと考えられていた。

しかし、その見解は覆った。「神経配線は変化する」という研究がなされたのである。エリック・カンデルが、２０００年度のノーベル生理学・医学賞を受賞したとき、神経配線が固定しているという概念は砕かれた。

カンデルは、「学習すると、シナプスの結合が強化され、神経細胞（ニューロン）の構造が変わる」ことを実証したのである。さらに、長期記憶が行なわれると、神経細胞（ニューロン）はその形を変えて、シナプス結合の数を多くすることを明らかにしている。

カンデルは、神経細胞（ニューロン）は学習によって変化すること、つまり、「神経可塑性」の科学的実証を初めて示した神経科学者であった。(注1) その後も、「脳の神経細胞（ニューロン）は柔軟に変化させせることができる」という研究成果が、多くの神経学者によって報告されている。

2　ドクター・ノーマン・ドイジが紹介する二人

神経細胞（ニューロン）は変化する性質があるという「神経可塑性」の実証は、世界のＬＤ教育のあり方に影響する。「神経可塑性とは、自己の活動や心的経験に応じて、脳が自らの構造や機能を変える性質のことである」と、ドクター・ドイジは述べている。(注2)

そして、神経可塑性によって学習機能不全／不調を治療した、アルフレッド・トマティス医師とバーバラ・アロースミスさんのことを紹介している。

トマティス医師は、ディスレクシアと呼ばれるLD状態であったポール・マドールさんの治療を行なった医学者である。バーバラ・アロースミスさんは、自分が考えた方法で、自身のLD状態（学習機能不全／不調）を、自らが治療した実践者であり神経可塑性研究者である。

ポールさんとバーバラさんの機能不全な状態は、神経細胞（ニューロン）に可塑性をもたらすことで治癒されたのであるが、そこに至るアプローチは全く異なっていた。

3　「神経可塑性」以前のLD把握

神経可塑性理論を学ぶ前に、筆者がLD（学習機能不全／不調）をどのように捉えていたのか、振り返ってみた。留学して受けた最初の特別教育の授業で、ドクター・ウェルズは、“Learning Disabilities”という用語が生まれたいきさつを、次のように話してくださった。

今から約60年前に、シカゴ市で、ある会合が行なわれた。集まったのは、それまで学校や地域で「スロー、字が下手、つっかえ読み、計算下手、話し下手、注意散漫、ひもが結べない、ぎこちない、ぶきっちょ、左右に迷う、多動（ハイパー）、MBD」等々の呼び名で、ばかにされたり、いじめにあったり、軽んじられたりしていた子どもの父母たちであった。

ＭＢＤはMinimum Brain Dysfunctionの略語で、微細脳損傷という意味である。脳に微細な傷の存在はないのに、ＭＢＤと呼ばれることがあった。

その会合に出席していたサミュエル・カーク博士は講演で、そういった状態を「Learning Disabilities」という言葉で表現した。それまでの呼び名は、Stigma（スティグマ・不名誉）であると思っていた父母たちは、新用語「Learning Disabilities」を受け入れた。ＬＤはその頭文字をとった省略語である。

カリフォルニア州パサディナにある、フロスティグ・スクールを設立したＬＤ教育の先駆者、マリアン・フロスティグ博士は、自らの論文の中で、不名誉な呼び方は、それまでに50以上もあったと述べている。

そういったさまざまな呼び名は、子どもや父母の自尊心を傷つけるものであったが、新語「Learning Disabilities」には、不名誉な響きがないということなのか、父母たちは好意的にこの用語を受け止めたようだ。

しかし、「Disability」をジーニアス英和辞典で引くと、日本語では「(病気などで……する) 能力を欠くこと」、「身体障害：致命傷」、「法的無能力：障害」「(米) 障害年金」などと訳されている。

カーク博士がこの用語を使ったとき、「病気などで何かをする能力を欠く」や「障害、致命傷」といった意味あいをアメリカ人の父母たちが受け取っていたとしたら、すぐに受け入れていなかったのではないだろうか。「持っている学習脳力を発揮できない機能不調な状態である」と、父母たちは捉えたのではないかと思う。

2013年4月12日のワシントン・ポストに、ジム・バウコム教授（ヴァーモント州、ランドマーク大学）による、LD用語が誕生した時の記事が掲載されている。一部を要約する。

「1963年4月6日に、シカゴで協議会がもたれた。集まったのは、学校で苦しんでいる子どもの父母たちだった。その子らは、怠惰、知性を欠く、親の育児が悪い等と言われていた。そこに出席していたサミュエル・カーク博士が、スピーチの中で、ラベリングは避けたい気持ちだったが、子ども達が直面している問題を描写するために、数ヶ月前から考えていた、Learning Disabilitiesという言葉を使った。そのスピーチは両親に衝撃を与えた。そして、その言葉を、問題を描写する言葉としてだけではなく、国の組織にも採用することをカーク博士に求めた。数ヶ月後、Learning Disabilities Association of America が組織された」

ちなみに、アメリカで生まれた、Learning Disabilities という用語が、日本に入ってきたとき、それは「学習障害」と訳された。しかし、LD状態は、神経系の機能不調である。LD用語が生まれたときから、そのことは、LD定義の一項目に記されていた。日本語訳は「学習機能不全／不調」が的確である。

その不調は一生続く器質で治すことはできないが、適切な支えと教育で、学業や職業に成功することができると教えられた。

知的に高くても低くても、どのような人にもLD状態は存在する。例えば、教科の学習は優れている学生が、何かを創ることにおいて、非常に不器用であったり、整理整頓が非常に苦手であったりすることがある。ハリーポッターに出ている俳優は、手先が不器用で、学校では図画工作がうまくなかったと聞く。しかし、その不器用さ以外の力を発揮して、演技者となり、成功している。

たとえ、LD状態があっても、強い面をさらに伸ばし、弱い面を補強し、全ての子どもたちを成功の人生へと導くことができると、筆者は、そのように人々に伝えてきた。

LD状態は神経機能の不調によるもので、その状態は生涯続き、工夫や補償教育あるのみと信じて、これまでのLDに関する筆者の著書には、「LDは治癒できず、対処あるのみ（not cure but cope）」と、堂々と書いてきた。

そのころ、「学習機能不全／不調」状態に対応する教育プログラムは、熟練のシェフが作るフルコースの料理のように、教科指導にあの手この手の豊かな工夫や補償を満載することが必須で、教師は誠実に日々の指導において、「できなさ」に対処しなければならないと真剣に思っていた。

教師をしていた筆者は、その状態に「障害」という言葉を当てはめることなど、微塵も思わなかったし、今でも思わない。

当時、筆者が所属していた学校が所属する教育委員会で行なっていた、子どもの学習困難に関する研究会のタイトルは、「学業不振」であった。

記事の中でジム・バウコム教授は、「その子どもらは、学業でも職業でも成就することができる、賢明で創造力のある学び手である、我々は呼び名として、むしろ Learning Differences（学び方の違い）を好む。」と述べている。

4　心ある呼び名

ＬＤは神経機能の不調であると、初期の頃から定義されていた。微細脳損傷があるＭＢＤかもしれないと言われ、父母たちはその言葉は、傷もないのにスティグマ（不名誉）だと気分を害していた。

筆者が数十年前に受け持った生徒の父親が、自身の子どものことを「うちの子は舌足らずな物言いをして、中枢神経系の成長が未熟なんです。」と、言ったことがあった。それは、脳科学者がテレビなどで情報を伝え、その方面の知識を多くの人々が持っている昨今のような時代ではない、約半世紀も前のことである。

「中枢神経系の成長が未熟」と言う表現に、「神経学者ではないのに、このお父さん、すごい人だな」という印象を持ったことがあった。未熟という、この言い方には、子どもがこれから成長していく可能性が感じられる。子どもの状態に使う言葉のニュアンスは、言われた人の心に影響する。「もうだめだ」か、「これからだ」のような違いである。言われた言葉によって、子どもの自己概念は変わる。

アメリカで、ありもしないのに「MBDがある」と言われて、Stigma（いやな感じ）を持った父母たちのことを理解できる。担任であった筆者も、その舌足らずな言い方の生徒に、何度も言うが、障害や損傷という言葉が当てはまるとは思わなかった。

父親に「中枢神経系の成長が未熟」と言われた生徒の状態が何であるのか、そのときは分からずにいた。その後、Learning Disabilitiesという言葉を知り、まだそのことを学ぶ前であったが、「成長が未熟」と、父親に言われたその生徒の状態は、これではないのかと、直観的に思った。

その生徒の問題は、ディスレクシアの原因の1つとしてある、音素の聞き取りの「できなさ」ではなかったのかと、40年以上も前のことを、今、思い起こしている。

カーク博士は、Learning Disabilitiesという用語を使ったが、フロスティグ博士が創設したフロスティグ・スクールが、現在使っている「学び方の違い（Learning Differences）」や、アロースミス・スクールが使っている「学習困難（Learning Difficulties）」が、人の心を思いやる呼び名であると考える。

本書で、筆者が使うＬＤ用語は、治癒可能な「学習機能不全／不調」を意図している。

5　ドクター・ノーマン・ドイジに学ぶ

筆者が「神経可塑性」という言葉を発すると、友人たちは「それはどういうこと？」と聞き返すので、「脳の神経細胞が刺激を受けて、形を変える性質のこと」と答えると、聞いた人たちは、分かったような、分からないような様子をみせる。

ドクター・ドイジは、神経可塑性によって治療できる、さまざまな状態を詳細に記述している。その書『脳はいかに治癒をもたらすか』を読んだ友人の一人が言っていた。「難しい用語が多くて、言葉をいちいち調べるのが大変だった」と。

それで、「ＬＤは治癒可能である」ということを伝えるために、「神経可塑性」について分かりやすく表現したいと思った。

そこで、神経可塑性について、LD以外にも多くの状態が、細かく書かれている『脳はいかに治癒をもたらすか』と『脳は奇跡を起こす』の2冊から、LDに関する箇所だけを選んで熟読し、簡潔にまとめることを試みた。

6 脳の神経回路は変更可能

身体や心を動かしたり、経験したりすることによって、脳の構造や機能が変わる性質のことを神経可塑性という。しかし、過去において、脳細胞が変化するという考えは、一般に受け入れられてはいなかった。脳の神経回路は「固定」していて、変更は不可能だと信じられていたのである。(注3)
ドクター・ドイジは、神経可塑性療法家が「脳は可塑性を持つ」と確信し、「不変の脳という見方」を否定していることを紹介している。
そして、エリック・カンデルの「神経細胞の結合は学習するにつれて増加する」という研究成果をもって、神経可塑性によるLD治療の科学的根拠を伝えている。

ドクター・ドイジはまた、神経可塑性を示す、カンデルのアメフラシを使った実験を次のように紹介している。

「カンデルが研究対象にしたのは、海に住む軟体動物アメフラシである。進化は保守的で、基本的な学習機能の形態は、単純な神経系を持つ生き物も人も同じなのである。カンデルは、学習された反応が、最も小さなニューロン群で生じたときに、それをつかまえたいと考えた。アメフラシに単純な回路を見つけると、一部を切除し、海水に入れて生かしておいた。こうして生きたまま学習するところを観察した。アメフラシの単純な神経系には感覚ニューロンがあり、それが危険を察知して、信号を運動ニューロンに送る。運動ニューロンは反射的に行動して、身を守る。アメフラシはえら呼吸をするが、このエラは水管という肉でできた組織に覆われている。水管にある感覚ニューロンが、なれない刺激や危険を感知すると、6つの運動ニューロンにメッセージを送り、それが発火する。すると、水管の周囲の筋肉が水管とエラを安全な殻の中に引っ込める。カンデルは、微小電極をニューロンに差しこんで、この回路を研究した。ショックを回避し、エラを引っ込めることを学習するうちに、アメフラシの神経系が変化し、感覚ニューロンと運動ニューロンのあいだのシナプス結合が強化され、さらに強い信号が発せられているのが電極で感知できた。学習が、ニューロン間の結合を強化していることが、証明されたのは、これが初めてだった。(注4)」

ドクター・ドイジは、「心の活動が、ニューロンの活動に相関すること」と、「学習するにつれて、新たな結合が形成される」ことを、専門家でなくても、覚えておくことが必要であると、教示している。(注5)

何らかのエネルギーを用いた脳細胞への刺激は、神経可塑性につながる。光、音、電気、振動、動作、思考等がその介入手段となる。それらは、全て神経刺激として利用できる。外部のエネルギー資源を利用する刺激と、内的なエネルギー形態のものがある。内的なものは日常的な思考で、それは系統的に用いられれば、神経細胞（ニューロン）を刺激する資源となる。

思考によって適切な神経回路が「オン」になれば、それは発火して、血液がその神経回路に流入する。そしてエネルギーを補給していく。このプロセスは、脳の血流をモニターする脳スキャンによって観察できる。(注6)

○語句の説明「発火」：

「神経細胞の内部は外部に比べて若干マイナスの電位を保っている。樹状突起にある受容体が、他の神経細胞から神経伝達物質を受け取ると、神経細胞の外部からプラスイオンが内部に入ってきて、内部の電位がプラス側に傾き、神経細胞自身が電気的な興奮を始める。

この電位差変化を活動電位という。活動電位が発生することを神経細胞（ニューロン）の〈興奮〉または〈発火〉と呼ぶ。(注7)」

ドクター・ドイジは、アルフレッド・トマティス医師とバーバラ・アロースミスさんの学習機能不全／不調の治癒過程を紹介し、「神経可塑性によってLDは治癒可能」ということを、2つの異なるアプローチを通して教示している。

トマティス医師は、耳への音の刺激で皮質下の状態に可塑性をもたらし、アロースミスさんは、環境からの刺激で、脳内の神経細胞に可塑性をもたらすことを実践している。

7　バーバラ・アロースミスさんの偉業

ドクター・ドイジは、リスニング・セラピーをもってディスレクシアの治療に当たったアルフレッド・トマティス医師と、そのクライエントであったポール・マドールさんのこと、そして、自己訓練を行なったバーバラ・アロースミスさんのことを紹介している。

ポール・マドールさんには、治療を行なうトマティス医師の存在があったけれど、バーバラ・アロースミスさんには、治療をしてくれる人の存在はなかった。自らの機能不全状態に、自らのやり方で、自己への厳しい訓練を課したのである。

自身の重度な機能不全を自らの方法で治した、バーバラ・アロースミスさんのことを、ドクター・ドイジは、三重苦を克服した「ヘレン・ケラーの業績と同等の偽りない英雄である」と紹介している。(注8)

ドクター・ドイジがバーバラさんを、ヘレン・ケラーの偉大さに並べているのは、バーバラさん自身が、極度に重度な機能不全状態にありながら、ルリヤ(神経心理学者)やローゼンツウェイグ(認知心理学者)の難解な文章を、20回も30回も理解できるまで熟読し、自らが考えた訓練法で自らを治癒した、非凡な叡智と実践力への賛嘆であると考える。

バーバラさんは、「文法や算数の概念、論理、因果関係の理解が困難」という機能不全状態で、理解できるまで、何回も論文を読まねばならない状況にあった。その取り組みが、サリバン女史に指導されたヘレン・ケラーの実践にも匹敵するほど、至難の業であったことを、ドクター・ドイジは伝えたかったのではないだろうか。

ヘレン・ケラーは、病の後遺症として、目と耳の機能が奪われ、見る、聞く、話す、ことができなくなる。「機能不全」ではなく、視聴覚の機能を失っている。しかし、家庭教師サリバン先生の厳しい指導の元、その三重苦に屈せず、不可能と言われた壁を克服し、ハーバード大学のラドクリフ・カレッジを優秀な成績で卒業し、社会活動家、講演家として生きた偉人である。

一方、バーバラさんは、発話を担うブローカ野がうまく機能せず、単語をうまく発音できない等々、複雑な症状が組み合わさった、器質的な機能不調を持って生まれていた。空間認識能力が弱く、何がどこにあるのか、頭の中で把握することができず、さらに、運動感覚にも問題があり、よく躓く、転ぶ、左側触覚が鈍い、等々の状況に苦しんだ。

最大の弱点は、ものごとの関係性を理解することが、うまくできないことであった。(注9) そういった深刻な機能不全状態を、自らのやり方で、自身が自身を治療したのである。

彼女の多数ある「できなさ」の1つに、「アナログ時計が読めない」という難関があった。それで、アナログ時計が読めるようになるまで、来る日も来る日も自己訓練を行なった。その真剣な実践で、脳内の神経に可塑性が生じたと捉えることができる。

バーバラさんが、自身に行なったアナログ時計読みの訓練は、サリバン女史がヘレン・ケラーに行なった指導に匹敵する、厳しくも優れた自己への挑戦であったことが想われる。

8　神経細胞（ニューロン）のネットワーク

人間の脳細胞は、ネットワークとなって機能している。その配線は、「情報を処理する、記憶を形成し保持する、空間を覚知する、見慣れた顔を識別する、文法的発言ができる、計算ができる、推論ができる」等々、人間が生きて、活動していく際のあらゆる機能を果たす。

このことは、神経心理学者ルリヤが教示している。この論理に導かれて、バーバラさんは、学習の機能不全／不調を次のように定義づけた。

「学習の機能不全／不調は、脳内ネットワーク上の機能的に弱いところに起き、ネットワークが責任を負っている多くの学習活動に影響を及ぼす」（注10）と。

9　バーバラさんの直観

バーバラさんは、自身の認知機能を訓練する活動を始めた。その活動は、「脳内の機能不全を起こしている神経細胞（ニューロン）のネットワーク・システムに、環境から刺激を与える課題」の考察と実行であった。

自己の学びを「できなく」している機能不全なネットワークに、神経可塑性を起こす刺激課題を考えるのであるが、その刺激課題は、はじめは、科学的な裏付けに基づいてはいなかった。なぜなら、神経細胞（ニューロン）の変化をｆＭＲＩなどで、観察することが容易ではなかった時代である。課題の考察と実践は、バーバラさんの、研ぎ澄まされた叡智と直観がなせる技であったのだと筆者は考える。(注11)（後に細胞の変化をｆＭＲＩで実証している。）

因みに、脳内の状態を知る技術が開発された年代は、脳波計が商品化されたのが１９５１年、ＣＴスキャン（コンピューター断層撮影）の研究でノーベル賞を受賞したのが１９７２年、ＭＲＩ（核磁気共鳴画像）の研究でノーベル賞を受賞したのが２００３年であった。

アナログ時計を読む刺激が、脳にどのような影響を与えるかを、脳画像などで直接に見ることはなく、したがって、その行為が脳の神経細胞（ニューロン）を刺激するという、科学的な根拠があっての実行ではなかった。

しかし、その訓練で、アナログ時計が読めるようになったという結果を得ている。直観や熟考によって行なった訓練（アナログ時計読み）が、神経細胞（ニューロン）に変化を起こしていたことは、結果が物語っている。

10　学校を創設

バーバラ・アロースミスさんは、自身にいくつもある機能不全状態を、自らが考えた方法で自らを治療した。その手法を用いて教育プログラムを創り、1980年に神経可塑性を掲げて学校（アロースミス・スクール）を設立している。

アロースミス・プログラムは、脳内の19の認知機能に、脳内外からの行為（内からは思考）による刺激で、神経細胞に変化を起こし、機能不全状態をなくしていくことを目標としている。（注12）

1980年代初期に「Learning Disabilities について学び始めたが、それに対応するには、教え方の工夫や補償教育しかないと、筆者が知る機関の誰もが言っていた。国際ディスレクシア協会（サミュエル・オートン博士が創設）も、フロスティグ・センター（マリアン・フロスティグ博士が創設）も、ドクター・シルバー（LD／ADHDの専門医（注13））も、「神経可塑性」という用語に触れてはいなかった。

オートン／ギリンガム（サミュエル・オートンとアン・ギリンガム）考案のマルチセンソリ・アプローチは、複数の器官を使う指導で、神経への刺激を内包していると考えられるが、

「神経可塑性」という言葉に言及してはいない。マルチセンソリ・アプローチが考案された当時は、神経細胞は固定配線されていると考えられていた。

そういった時代にあって、バーバラさんは、1980年に、神経可塑性を掲げて学校を創設している。それは、自身の機能不全な状態を機能するように変えたいという強い意志と実行力、真剣に学問して得た知見と、知的な洞察力等のなせる行動であった。

バーバラさんは、教育学の修士号を持つ教育学者だけれど、神経学者といえるほど、脳の神経組織について詳しい知見を持っていることが、出版物や研究会（オンラインによる）を通してよくわかる。

アロースミス・スクールは、ルリヤとローゼンツウェイグの理論を認知訓練プログラムの基盤に据えて、科学的根拠をもって運営されている。

筆者は、アロースミス・スクールの神経可塑性を目指す教育手段を知りたいと思い、バーバラさんの著書 *The Woman Who Changed Her Brain* を読んだ。そこには、アナログ時計読みの訓練について、詳しく書かれていた。

11　「神経可塑性」という手法はなぜ普及しないのか

ドクター・ドイジ著、『脳は奇跡を起こす』や『脳はいかに治癒をもたらすか』には、LD（学習機能不全／不調）を神経可塑性によって治療するということが、詳細に綴られている。

簡単に言えば、光や音、振動、思考等のさまざまな刺激によって、脳の神経細胞（ニューロン）の樹状突起、軸索、軸索終末部に変化が起き、機能不全であった神経細胞（ニューロン）が機能していくというものである。

学習する（刺激を与える）ことで、神経細胞（ニューロン）間に新しい結合が形成されて、機能不全であった細胞が機能するようになるということを知ったとき、それができるのならば、工夫教育や補償教育ではなく、神経可塑性を目指す教育プログラムを作ればよいではないかと、筆者は単純にそう思った。

しかし、この神経可塑性理論を基盤とする教育プログラムが、世界中に普遍的なものになっていないのはなぜなのだろう？

バーバラ・アロースミスさんは言う。

「なぜ教育者たちはいまだにＬＤ（学習機能不全／不調）は生涯続くと、父母に伝えているのだろうか」と。

「神経可塑性に関して得られた多くの証拠があるのに、なぜ、認知の訓練はＬＤの治療手段として、広く認められていないのだろうか」（注14）と。

バーバラ・アロースミスさんはまた、「我々は教育において、新しいパラダイムを緊急に必要としている。それは、神経学と教育学の分断をなくすことである」と述べている。神経可塑性理論を教育の分野に根付かせるため、神経学の後押しが必要だというバーバラさんの強い思いを感じる。

そして、ハーバード大学が神経科学と教育学間の隔たりに、橋を架けることに貢献していると伝えている。（注15）

バーバラさんは、さらに続ける。「我々は、脳は生得的に変わりやすい性質を持ち、絶えず変化しているということを知った。人間の脳は、新しい神経の接続を可能にし、リマップし、一生を通して、神経を成長させることができる」（注16）と。

12 神経学と教育学の分断をなくす

神経可塑性について学ぶ前に、神経学が認知機能に関して、どのようなことを行なってきたのだろうと思っていた筆者は、友人の紹介で知ったある書物を手にした。それは、神経生物学の博士号を持ち、サイエンス・ジャーナリストであるローン・フランク著の『闇の脳科学』という書物であった。この書には神経科学に関する多くの研究内容が紹介されている。

その中に、ニューオーリンズのテュレーン大学で、長期にわたって、神経科と精神科の指導者であった、ドクター・ロバート・ガルブレイス・ヒースのことが書かれている。

ドクター・ヒースは、精神と脳の関係を理解しようとして、脳のさまざまな領域の機能と、機能間の相互作用を解明することに努めていた。

人が何かを感じたり考えたり行動したりすることが、脳の活動にどのような影響を与えているかを知りたいとき、脳に電極を埋め込むことによって、脳波を通じて知ることができるという。

ドクター・ヒースの場合、「思考」ではなく、「感情」と脳領域との関係をつきとめることが研究課題であった。それで、脳の深部（皮質下）を探査して脳地図を作成し、各領域の働きを解明する研究を続けた。
ドクター・ヒースは、電気刺激によって引き起こされる「怒り」という感情によって、遠い過去の記憶を思い出す患者は、海馬と扁桃体が活性化するという研究をしていた。海馬を電極で刺激すると、何年も前の記憶を思い出す、といった実験結果が報告されている。(注17)
ドクター・ヒースは、脳の領域がどのようにつながっているのか、それぞれの脳領域が互いに、どのように影響し合っているのかを正確に知りたいと考え、小脳のあらゆる箇所を刺激し、信号が脳組織内に伝わる経路を探索していた。
すると、小脳の刺激後、瞬時に、辺縁系の各領域に信号が広がった。その速さから、ドクター・ヒースは、小脳の各領域と感情領域の間には、直接的なつながりがあるに違いないと考えた。(注18)
また、トーマス・シュレプファー（ボン大学精神科医）とフォルカー・ケーネン（ボン大学外科医）は、うつ病の治療として電気治療を行なっていた。その治療中に、直接に触れた脳深部への刺激が、患者の認知機能の向上をもたらすことが分かった。(注19)
治療の前後で、患者のうつ状態の変化を調べるため、神経心理学テストが行なわれていたが、その結果、全ての患者の認知機能が向上していたのであった。これはうつ病改善とは全く関係がなく、説明のつかない結果であった。

しかし、知的能力改善のため、これを利用することが考えられた。当時の外科医の半数が、直接、脳の深部に電気的刺激を与えることに、何ら倫理的問題を感じていなかったという。実際、過去においては、直接、脳にメスを入れたり、電気刺激を与えたり、電極を埋め込んだりして、脳と心の関係は研究されていたようだ。

これらの実践は、常に倫理的な問題を孕んでいたとは言え、観察や実験で実証される、まさに科学であった。

アロースミスさんの神経可塑性を基盤とするプログラムについて、科学的ではないと批判する人がいる。その人は、ドクター・ヒースらがやったように脳内に電極を埋めて、脳細胞を刺激して、認知の機能不全を治すならば、科学的な治療であると言いたいのであろうか。

しかし、アロースミス・スクールが意図しているのは、教育の場で行なわれる「神経可塑性」という概念である。ドクター・ヒースのように、脳組織に電極などで直接に触れるのではなく、学習活動という脳内外（内は思考）からの刺激が手段である。

バーバラさんが行なった「アナログ時計の読み訓練」という外部からの刺激が、神経可塑性を起こしたかどうか、訓練時に脳内の変化を科学的に確かめることはなかったが、アナログ時計が読めるようになったという事実がある。その訓練が、神経可塑性をもたらしたという洞察は否定できない。

バーバラさんは、「脳を変える認知治療のプログラムには、『神経学者が神経可塑性を起こす活動』と呼ぶ手段が必要である。私は、認知の訓練に、この手段となる活動について、自分の直観的理解を用いた」と述べている。(注20)

直観で行なった時計読み訓練は、結果として、バーバラさんにアナログ時計が読める状態をもたらした。神経可塑性が起きていた。

バーバラさんの言う「神経学と教育学の分断をなくすこと」とは、わかりやすく具体的に言えば、次のようなことだと考える。

「ドクター・ヒースら神経学者たちは、脳のどの領域がどのような働きをするのかを把握している。例えば、アナログ時計が読めないのは、脳のどこの領域が機能不全であると知っている。彼らは、そのことを教育者に教えることができる。そして、外部から脳組織へ、どのような刺激が機能を回復させるのかも知っているならば、教育者にその知見をも伝える。それを学んだ教師たちは、それを教育現場で実践することができる」というように、両分野が協力して、神経可塑性に至る教育活動が行なわれることを、バーバラさんは提案していると考える。

神経可塑性を目指す教育のプログラムには、理論的な裏付けが求められる。教育学者であるバーバラ・アロースミスさんは、神経心理学者アレクサンドル・ルリヤと認知心理学者マーク・ローゼンツウェイグの理論をもって、アロースミス・プログラムを実行している。

13 アレクサンドル・ルリヤの神経心理学研究

アレキサンドル・ルリヤの神経心理学について、「ルリヤは〝社会・心・脳〟の関連をどのように考えたか」というタイトルの高取憲一郎先生の論文から学ばせていただいた要旨を整理した(注21)。

心理学者ルリヤには5つの研究分野があった。それらは、(1)実験的精神分析、(2)中央アジア研究、(3)双子研究、(4)言語による行動の調節、(5)神経心理学である。

筆者が以上の論文から学んだ箇所は、5番目の神経心理学分野で、この分野はルリヤの後半生のすべてを捧げた研究であったという。

神経心理学分野で、「社会・心・脳」の関連を考えるには、以下の(A)、(B)、(C)、(D)、(E)について知る必要がある。

(A)皮質外組織化(脳外結合)、

(B)大脳の3つの区域(第1ブロック、第2ブロック、第3ブロック)、

（C）心理間機能から心理内機能への内化、
（D）内言《ないげん》と前頭葉、
（E）随意的行為の発生、
以上の（A）、（B）、（C）、（D）、（E）について理解したことを整理する。
（A）について：
特に、（A）の皮質外組織化（脳外結合）は、脳外環境からの刺激が神経細胞に変化を起こすということで、神経可塑性を説明できる重要な論理であると捉える。

ルリヤは、ある特定の心理機能は、ある特定の部位に局在するのではなく、いくつかの脳の部位が集まってネットワークを作り、システムとして機能しているという。

脳内の機能システムとなるネットワークに、あるもの（外部環境からの刺激が与えた要素）が参加し、システムの一要素となることを皮質外組織化（脳外結合）と呼ぶ。

脳は社会と結びつきながらその機能を営むので、脳の外側にある何かを構成要素として含む機能システム、という概念が必要となる。

外部から脳内へ刺激が入り込み、神経細胞のネットワーク・システムの一要素となることで、脳は細胞や器官を新たに作り出さずに、新たな機能を獲得する。この仕組みで、脳の可塑性が保証される。

刺激となるものは、「音、光、振動、行為、思考、等々」である。これらの刺激が、脳内のネットワーク・システムの一要素として円環し、新たな脳のシステムを作りあげると捉える。

多くの心理学分野が、それぞれ独自の構成概念で、「思考」について研究を行なっているが[注22]、ここに刺激としてあげている「思考」は、「考える」という（内的な）行為である。

脳内ネットワーク・システムへ送る刺激は、脳外からのさまざまな刺激と、それが生み出す脳内における刺激（思考）や、自己内で巡らす思考がある。ドクター・ドイジは、「思考はすべて、神経刺激として利用できる。日常的な思考は、とりわけ系統的に用いられれば、ニューロンを刺激する有力な手段となる」と述べている[注23]。

バーバラさんが行なった「アナログ時計の読み訓練」は、脳外からの行動であるが、時計の短針の位置など、考えること（思考）が同時に進行している。脳の内外からの刺激が、神経ネットワークに円環する一要素を創り、脳内に電極を埋め込まずに、脳組織に神経可塑性を起こしたのである。

ルリヤの理論を基盤にした、アロースミス・プログラムの神経可塑性の科学的根拠について、高取先生の論文を拝読し、以上の事柄を把握した。

（B）について：

ルリヤは、大脳を第1ブロック、第2ブロック、第3ブロックの3つの区域に分けた。

第1ブロックは、第2ブロックと第3ブロックがうまく機能するための緊張を維持し、活性状態を補償している区域である。脳幹上部、特に視床下部、視床、脳幹網様体、大脳辺縁系、海馬、中隔、乳頭体、視床諸核などの旧皮質、古皮質を含むところ、脳の深部である。

第2ブロックは、外部から感覚器官を通して入ってくる情報を受容し、加工し、貯蔵する役割をもつ部分である。情報の分析と総合の役割を担っている部分で、大脳皮質後部の頭頂、側頭、後頭部がその区域である。

第3ブロックは、行動の調節機能、行動の計画機能を担う部分で、大脳半球前部、特に前頭葉がそれを担う。行動の意図を形成し、計画し、実施状況を監視して調節し、実行する区域である。

高取憲一郎先生の「社会・心・脳」の関連を考える論文の（C）、（D）、（E）、について…子どもが母に命令されて物体を見るとき、それは、子どもの意志的な注意ではなく、母と子の共同作業による心理間機能としての注意である。次に子どもは、周囲の人に聞こえるように外言《がいげん》で言いながら物体を見る。次に、周囲には聞こえない内言《ないげん》で自分自身に命令しながら物体を見る。この段階で心理内機能として随意的（束縛や制限を受けない）注意が完成する。

「二人の間の心理間機能としての注意」→「外言による自己制御の注意」→「内言による

心理内機能としての注意」、という三段階を経過していくプロセスを内化という。

外言とは、他人に向かって用いられる音声言語であり、主として伝達の道具としての機能を果たす。内言とは音声を伴わない自分自身のための内的言語であり、主として思考の道具としての機能を果たす。(注24) 内言がなされるとき、神経細胞（ニューロン）は刺激を受けていて、神経可塑性を起こしていると捉えることができる。

内言の機能は、大脳の左半球の皮質前頭領域にある。この領域は、大脳の3つの領域のうちの第3ブロック（前頭葉）にあたるところであり、行動の調節、行動の計画（プログラミング）機能を担っている。

ルリヤが分けた脳内領域の第1ブロックは、トマティス・メソッドにおいて、「高周波音を送る皮質下」に関係する領域で、第2ブロック、第3ブロックは、アロースミス・プログラムの「19の認知機能」に関係する脳の領域である。

14　バーバラさんへの非難

アロースミス・プログラムは、神経心理学者、ルリヤと認知心理学者、ローゼンツウェイグの知見を基礎理論としているが、1980年代、機能不全状態を治療するというバーバラさんを非難する人もいたという。(注25)当時、LDは治癒できないものと考えられていたので、神経可塑性により治癒可能などと唱えるバーバラさんは揶揄された。

バーバラさんは、「アナログ時計の読み訓練」という実践で、読めなかった時計が読めるようになった。このとき、アナログ時計の読み訓練中に、脳の神経細胞が変化したことを科学的に提示できれば、人々は非難せずに、受け入れたのかもしれない。しかし、脳内を見る技術が易々とは手に入らなかった時代である。とにかく訓練してみようというバーバラさんの直観による行為は、知性のなした技であって、非難どころか、賞賛すべきである。

15 バーバラさんの状態

バーバラさんは深刻な機能不全状態を持って生まれた。時刻を読めなかったり、関係性を理解できなかったりした。さらに、学習に関する領域だけではなく、物につまずいたりするなど、心身のさまざまな箇所が重度な機能不全状態であった。幼い頃、物にぶつかることの多かったバーバラさんを「この子があと一年無事に生きられたら奇跡だ」と言って、両親は心配したと

いう。（注26）

その状態は、次のような複雑な症状が組み合わさっていたとドクター・ドイジは紹介している。

・単語をうまく発音できない。
・空間認識力も機能せず、何がどこにあるのかわからない。
・運動感覚に問題があり、体や手足がどこにあるか分からない。
・左側の感覚が鈍く、左側の腕や足がどのくらい動いたかわからない。
・左手に持つコップの水はこぼれる。
・よく躓く／転ぶ／運転時、車の左側をぶつける。
・視野の狭さがあり、一度に数文字しか目に入らない。
・記号と記号の関係を理解する脳の領域が正常に機能していない。
・文法や算数の概念、論理、因果関係の理解が困難。
・二重否定文は読解不能。
・時計の長針と短針の関係が分からず、時計が読めない。
・左右の関係も理解できない。
・原因結果が理解できない。

・行動と結果を結び付けることができない。
・人付き合いもうまくいかない。
・算数の計算の仕方は分かるがなぜその計算をするのか、概念が分からない。
・3×3＝9は覚えられるが、文章問題の立式がなぜ、3×3になるかわからない。
・関係を問う問題は十数点しかとれないが、知識問題は100点満点がとれた。
・論理が把握できない。
・一度に2つ以上の関係を持つことはできない。
・あらゆることを疑い、不確かに思う。
・何かを瞬時に理解することができない。
・何であれ、起こってしまった後で遅れて理解する。
・リアルタイムで起きているときには理解できないので、過去を振り返り、事実をつなぎ合わせて、何とか理解する。
・b, d, q, p や was, saw 等は読み違い、書き違いをし、左右逆の文字を書く。
・口の旨い人に騙されやすく、誰を信用してよいかわからない。
・どんな状況もそこに意味があることはわかるが、その意味はわからない。(注27)

以上のように、バーバラさんの「できなさ」は1つではなかった。(機能不全でできないことを本書で「できなさ」と表現する。）バーバラさんは、重度な機能不全を治そうと、刺激課題を考え、厳しい自己への訓練を課し、そこに真剣に向き合った。

考えた刺激が可塑性をもたらすというバーバラさんの慧眼によって、その行動は機能不全の箇所を射止めていた。

自身の生活に困難をもたらすLD状態（学習機能不全／不調）があり、それを治したい場合、バーバラさんが実行したように、刺激課題の訓練に真剣に取り組むことである。いい加減にさっと練習するだけでは、神経可塑性など起きるはずがない。

例えば、漢字を覚えられない人が、その漢字を2～3回書いただけでは、神経細胞に変化は起きないだろう。バーバラさんのように来る日も来る日も、何時間も何時間もそのことに挑戦する。そのような学習（刺激）が、機能不全な神経細胞（ニューロン）を機能するように変えていくのだと理解している。

16 アナログ時計の読み訓練

機能していない神経細胞（ニューロン）が、脳内の多くの領野にあったバーバラさんは、自身のもっとも弱い機能（記号を互いに関連付ける機能）の訓練から始めた。まず、考えた刺激課題は時計を読むことであった。

自身で創った時計の長針と短針の関係を読み取る自主訓練である。その練習方法は以下のように紹介されている。

「長針と短針が書かれた時刻の異なる数百枚もの図を準備する。カードの裏には、時計の図が表す正確な時刻が書かれている。毎日毎日、長針と短針を読み、裏に書かれた正答で確認する。正解するまで、来る日も来る日も、何回も何回も練習を重ねる。」

そして、並々ならぬ努力の末、やっと、長針と短針の関係が分かって来る。それは過酷とも言える訓練であったという。それが刺激となり、神経細胞（ニューロン）に可塑性が起き、時計が読めるようになった(注28)。

非常に簡単にその訓練のことが書かれているが、アナログ時計の短針と長針の関係を考え続け、機能不全な脳の領域に刺激をもたらした。その刺激は、脳内のネットワーク・システムに円環する要素の1つとなり、脳外結合が起きた。

脳内に、直に電極を埋めたり、電気刺激を与えたりしたのではない。短針と長針の関係を考えることが、機能不全を起こしていた細胞に、神経可塑性をもたらしたのである。

数十年前、フロスティグ・スクールを見学したとき、バーバラさんのように、アナログ時計が読めない生徒の指導をしている教室を見学したことがあった。

クラス担任のシャピロ先生は、大きな時計を生徒の前に置き、短い針がここで、長い針がここと指して、だから、「何時何分」でしょ、としきりに教えていたが、その生徒は授業が終わるまでに、時刻を読めるようにはならなかった。

シャピロ先生の授業のあり方は、アナログ時計が読めない生徒に対する方法として、日本では、いや世界的にも一般的である。よく見える大きな時計を用意し、長針と短針を動かす工夫をした教材で授業を行なう。

普通、教師は1つの単元の1つの箇所を、限られた時間内に教えねばならない。脳の神経細胞（ニューロン）にとって、そのような授業展開は、生徒の目前を何かがさっと過ぎていくだけで、可塑性が起きるような刺激にはならないのであろう。

バーバラさんが行なったような訓練をすることで、神経細胞（ニューロン）が変化するかもしれないということを、誰も考えてはいなかったであろう。

脳細胞は固定配線されていると信じられていた時代である。シャピロ先生だけではなく、多くの教師が、バーバラさんが行なったような時計読み訓練をＬＤ（学習機能不全／不調）のある生徒に実行することはなかったと思われる。

17　神経可塑性につながる行為（刺激）

「アナログ時計が読めない」という「できなさ」は、ブロードマン脳地図の39野が関係している。この領域の名前は「角回」といい、左半球の後頭葉と頭頂葉と側頭葉の接合点にあり、言語、認知等、多数の機能処理に関わっている。

「角回」が負う機能不全の1つとして「関係性が理解できない」ということがある。「アナログ時計読み」は、長針と短針の関係が分からないと時間が読めないのであるが、この関係が分かるまで、バーバラさんは「時計を読む」という思考を巡らす行為を続けた。何回も何回も繰り返すという訓練によって、最終的にはアナログ時計が読めるようになった。

ルリヤには「神経細胞のネットワークは、相互に影響し合う」という理念がある。ブロードマン・エリア39は、言語や認知に関係する機能を担う。アナログ時計を読む際もこの機能が働く。すると、アナログ時計が読めるようになったということは、ブロードマン・エリア39が担う他の機能にも影響して、言語や認知に関係する機能も回復したと捉えることができる。

バーバラさんは、時計読み以外にもあった多くの「できなさ」と闘って（刺激課題を実行して）「できなさ」を克服した。その自らの体験に基づく神経可塑性についての講演を、SNSを通して世界中に発信している。

バーバラさんが行なった「アナログ時計の読み練習」は、神経可塑性につながる行為として、刺激課題を考える際に、大いに参考になる。

18 サンディ・エツライン夫人の繰り返し練習

今から50年ほど前、アメリカのメリーランド州にあるジェミシー小学校に通うディスレクシア（Dyslexia）の少年がいた。その母親は、ミセス・サンディ・エツラインといい、Macと名付けた少年を主人公にした、「A Primer on Dyslexia（ディスレクシアの初歩読本、題名意訳──筆者）」と題する小冊子を創った。

Mac少年の特徴は、エツライン夫人の子どもと、その友人たちの学習機能不全／不調な状態をミックスして創り上げたものであった。その冊子には、ディスレクシアの子どもたちを「どのように捉えたらよいか」、「関わり方はどうか」等が、子どもたちのエピソードと共に記されている。

ディスレクシア（Dyslexia）という用語は、19世紀にヨーロッパで創られた。知的には平均かそれ以上であるのに、「読み困難、綴りを間違える、算数の筆算に手間取る等々」、といった子どもたちの存在に気づいた医者が、その状態につけた呼び名であった。

ディス（dys）は、ギリシャ語で「不全」、「困難」等を意味し、レクシア（lexia）は、ギリシャ語で「話すこと」「語彙力」を意味する。カルキュリア（calculia）は、「計算、計算力」、グラフィア（graphia）は、「描写、描写力」、プラクシア（praxia）は、「細かな動き、巧緻性」を意味する。

算数の「できなさ」に関する呼び名は、ディスカルキュリア（dyscalculia）、書くことの「できなさ」は、ディスグラフィア（dysgraphia）、手先の不器用さはディスプラクシア（dyspraxia）といった呼び名がある。

因みに、「ディスレクシア」や「ディスカルキュリア」等の呼び名は、2013年に改訂されたDSM-5というアメリカの診断システムからは削除されている。しかし、用語の使用は可能であると書かれている。

ヨーロッパで、子どもたちの学習に関することに、早くから目を留めたのは教育者ではなく医者だった。医者は、計算や読みの困難について初めから、神経細胞（ニューロン）との関係を洞察していたのだろうか？

　1963年に、サミュエル・カーク博士が使ったLearning Disabilitiesという用語が生まれるずっと以前に、ディスレクシア用語は、ヨーロッパの医師によって既に創られていた。

　1970年代当時は、ディスレクシアと聞いても、ほとんどの人がそのことを知らなかった。母親たちは、ディスレクシアについて、子どもたちが分かるように書かれた本を探したけれど、ジェミシー小学校の書棚には、それが1冊もなかった。自然の流れで、エツライン夫人が代表となり、ディスレクシアについて、書くことになった。

　筆者はこの小冊子を友人に借りて読んだ。

　エツライン夫人は、学習の仕方として、スキーヤーが雪の上を滑って、そりの跡をつけるように、何度も何度も暗記したり、書いたり、模写をしたりして、1つのことを繰り返し続けることで、いつかそのことが身についてくる、といったことを述べている箇所がある。

　スキーヤーがそりの跡をつけるように、何度も何度も繰り返し学ぶことが、学習のよい方法だと教えている。

「神経可塑性」という言葉は、一言も書かれていないが、「脳に跡をつける」という表現をして、「繰り返し学習」と脳の関係に言及している。エツライン夫人の言うリピティッションは、脳に神経可塑性が起きることを、無意識のうちに暗示していたと捉える。

以下は原文からの引用である。

Something I found helped me a lot was REPETITION. This means doing something over and over again. It's like taking your sled out in the snow and gliding the runners over and over the snow to make tracks.

By repeating things, I make tracks on my brain, then, I have a better chance of remembering.（注29）

エツライン夫人の繰り返し練習は、正に、バーバラさんが、「アナログ時計の読み」を繰り返し練習したことに通じる。ｆＭＲＩ等で脳の変化を視ることができなかった時代、２人の発想は、科学的証拠を示していなかったと思われる。

しかし、後に、ｆＭＲＩで神経可塑性が証明されたバーバラさんの「時計読み」の練習は、エツライン夫人の繰り返し練習が、神経可塑性につながるということを示唆している。

エツライン夫人のリピティッションが、バーバラさんの来る日も来る日も行なった時計読みの自己訓練と同じく、神経可塑性に至る行為であったことに、筆者は、最近まで気づかなかった。

「スキーヤーがそりの跡をつけるように、何度も何度も繰り返し学び、脳に学びの跡をつける」ということが、神経細胞を柔軟に変えていく、という概念を包摂していると考えることはなかった。むしろ、一文字を百回書く、といったリピティッションの勉強法を重視することはなかった。

約30年前に、Mac少年のことを日本に紹介する許可をくださった再度のお礼と、リピティッションが神経可塑性を包摂するということに気づいたことについて、エッツライン夫人に報告のお便りを書こうとしたが、夫人は既に旅立っていた。

19 兵士、ザシェツキーのこと

バーバラさんが大学生の頃、同じくLD状態（学習機能不全／不調）であった大学の友人が、読み困難など、機能不全のある子どもたちのために、工夫した学習法や補償プログラムを行なう教育クリニックを経営していた。

当時は、脳の神経細胞（ニューロン）が損傷したり、機能しなかったりした場合には、その機能の直接の回復は不可能だとされていた。この概念は、筆者が最初に受けたLearning Disabilitiesに関する講義で、ＬＤは、〝治癒できず対処あるのみ〟と、習ったことと一致する。

バーバラさんも友人のクリニックで作成してもらった、工夫や補償のプログラムに沿って、機能不全に対応するRemedial Education（改善のための教育）を受けたが、それは時間がかかりすぎるし、その教育を受けた自分も含め、ほとんどの子どもたちに、実質的な進歩が見られないことに、バーバラさんは気づいた。

そのころ、クリニック主宰の友人が、神経心理学者ルリヤの書いた書物をバーバラさんに紹介した。バーバラさんは、ルリヤの著書、『失われた世界』を読み、ザシェツキーという頭を負傷した兵士のことを知った。

ザシェツキーは負傷後の体験を日記に記していた。「大脳を貫通した弾丸が、ある男の人生に与えた損傷のありさまを記述したもの」といった文章で、ルリヤはザシェツキーについて書き始めている。(注30)

バーバラさんは、ザシェツキーの日記に書かれていた彼の状態が、自身の状態とよく似ていることに驚いた。例えば、「下の方」、「上の方」、「より小さい」、「より大きい」など、関係性を表現する言葉の意味が分からない等々の状態であった。

「自分の毎日を書いているみたい」とバーバラさんは思ったという。脳に負傷したザシェツキーと自分の状態が似ているということは、自分の「できなさ」は、脳に原因があるということに、やっと、思い至った。

「ルリヤは、ザシェツキーの損傷の原因を突き止めかけていた。ザシェツキーが受けた銃弾は、左半球にとどまっていた。側頭葉（ふつう、音と言語を処理する領域）と後頭葉（ふつう、視覚イメージを処理する領域）、頭頂葉（ふつう、空間の関係を処理し、さまざまな感覚からの情報を統合する領域）が接する地点に位置していた。」「とりわけ問題だったのは、記号をお互いに関連づけられないことだった。[注31]」

バーバラさんは、自分の問題の原因がどこにあるのか、初めて分かった。原因は分かったが、ルリヤは治療法を書いていなかった。

筆者は、ルリヤの書『失われた世界』を読み、三〇〇〇ページほどもある日記を書くことができたザシェツキーは、「大脳をどのように損傷していたのか、脳を負傷して、そのようなことがなぜ可能なのか」と、不思議に思った。

ザシェツキーにおいて、弾丸の破片が破裂したのは、脳の第二ブロックの一部であった。第二ブロックは、大脳半球の後部にあり、外界から来る情報を受け取り、処理し、保持するという機能を担っている。

この部分は後頭葉、頭頂葉、側頭葉に隣接していて、視覚（後頭部）、触覚―運動（頭頂部）、聴覚―前庭（側頭部）を結びつける機能を持っている。人間の脳のもっとも複雑な部分である。[注32]

ザシェツキーは、第三ブロックは損なわれていなかった。[注33] ここは、人が意図を形成し持続することや、行為を計画し、調整し、遂行し、監督する領域である。

第三ブロックの前頭葉皮質におけるメカニズムを保っていたザシェツキーは、脳の負傷による「できなさ」を意識し、それらを克服しようと、戦い続けることができた。

前頭葉は大脳皮質の3分の1を占め、思考判断の知的活動を司る中枢で、神経回路全体の指揮を取っている。第三ブロックが損なわれていなかったことで、ザシェツキーは日記を書くことができたのであった。

後頭部、頭頂部、側頭部を損なったザシェツキーの「できなさ」の一部を、次に記す。

・左右の腕がどちらであるか分からない。
・時計の針が何時を示しているか分からない。
・物事を完全な形で捉えることができない。
・握手するとき、どっちの手を伸ばしたらよいか分からない。
・物の位置が分からない。
・バケツの縁を塀や壁にぶち当てる。地面に躓く。
・「右、左、後ろ、前、上、下」といった言葉の意味を理解できない。
・関係把握の困難。[注34]

ここに書いた、ザシェツキーの脳の負傷による後遺症は、その一部である。この何倍もの「できなさ」をザシェツキーは負っていた。バーバラさんが自分のことを書いているみたいと思ったように、確かに、2人の機能不全の状態には、重なるところがある。

20 マーク・ローゼンツウェイグの研究

バーバラさんは、自身の機能不全の悲惨さに悶々としていた。そんなある日、カリフォルニア大学、バークレイ校の認知心理学者ローゼンツウェイグの神経可塑性に関する論文に出会い、そこに活路を見いだしていった。

バーバラさんが40年以上も前に、機能不全に関する仕事を始めたとき、神経可塑性という概念は、研究室において論議され、調査されてはいたが、そのことは世間には知られていないし、受け入れられてもいなかった。(注35)

バーバラさんは言う。

「1977年に、私が神経可塑性を探究し始めたとき、それは匿名の大地であった……もちろん教育界における。今や、脳は形作られる、順応性がある、変化する力がある、ということに対しての異論の余地はなくなっている。このことは、この400年間における、脳についての最大の発見である」と。

「ノーマン・ドイジが言う神経可塑性の暗黒時代（脳の細胞は固定配線されていると考えられた時代）は過ぎ去り、今や、神経可塑性の世紀に我々は至っている」(注36)と。

そして、2000年にエリック・カンデルが、シナプスの可塑性を証明してノーベル賞を受賞したことを紹介している。それは既に書いたが、刺激を受けた結果として、神経細胞（ニューロン）間のつながりが強固になるという研究である。

それより以前、1950年代の後半から1960年代の初期に、マーク・ローゼンツウェイグは、既に、神経可塑性の研究をしていた。バーバラさんは、ローゼンツウェイグの研究成果を知ったときから、その内容に関心を抱いていった。

その研究には、「脳の化学的性質と解剖学的構造における環境的複雑さと訓練の効果」というタイトルがついていた。

その研究で分かったことは、「豊かな環境の下におかれたラット」は、「貧しい環境におかれたラットより」迷路テストで、よりよい成績を示す、ということであった。後に続く、他の動物研究においても、ローゼンツウェイグの研究成果は、さまざまな角度から検証されている。

豊かな刺激下に置かれたラットの脳は、シナプスを強固なものにし、維持する。そして、神経伝達物質にとって重要な役割を担うグリア細胞が増加し、神経伝達の統合と分解に必要となる、酵素の増加等、広範囲の変化が示されている。

刺激を受けたラットの脳は、樹状突起の枝が増加し、脳・脊髄の灰白質の増加を示し、学習と問題解決のために、大きな能力をもつ脳となる。

同じ結果は、刺激のある環境におかれると、乳児でも子どもでも大人でも同じ結果を得ることが見いだされている。この神経細胞の変化（神経可塑性）は年齢に関係なく生じるのである。バーバラさんが、ローゼンツウェイグの研究で最も関心を持ったことは、「異なる刺激が異なる結果を導く」ということであった。

例えば、目隠しをされ、何かに触れる環境に置かれたラットは、触ることに関係する脳の部位が何らかの変化をするというように。

ローゼンツウェイグの実験から得た知見は、バーバラさんの研究の中心課題となっていった。神経細胞（ニューロン）への刺激は、脳に物質的、化学的変化をもたらす。そして、「できなかったこと」を「できるように」変えていく。

そのような物質的変化は、ＣＴスキャンのような非侵襲性の技術がなかった時代、人間において直接に測定することはできなかった。しかし、科学者らは、刺激を受けた学習後の明確な結果として、灰白質（グリア細胞と樹状突起の両方を含む）の増加を測定できるとしている。

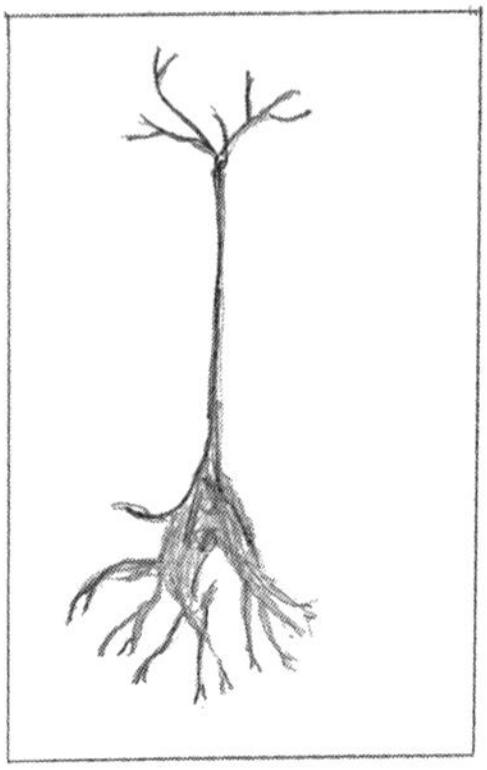

図１　貧しい環境で育った動物の神経細胞

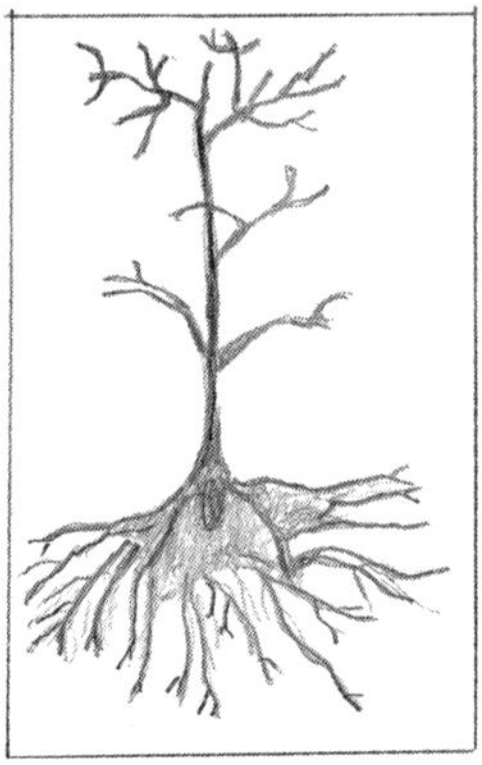

図２　豊かな環境で育った動物の神経細胞

The Woman Who Changed Her Brain、p.32参照

例えば、感情を抑えて沈思黙考する人は、感情の統制につながる神経細胞（ニューロン）における灰白質の増加を示す。床運動や鞍馬や鉄棒などの運動を行なう体操選手は、運動筋肉活動に関係する神経細胞（ニューロン）における灰白質の増加を示す。というように、脳に与えた刺激が、神経細胞（ニューロン）に変化をもたらしていることは、灰白質の増加によって捉えることができるという。

何らかの刺激があって、電気刺激発火が軸索に降りると、神経伝達物質と呼ばれる化学物質が、軸索終末部からシナプスの中へ放たれる。

放たれた化学物質は隣接している神経細胞（ニューロン）の樹状突起に受け取られる。樹状突起の枝が多くあることは、より多くのつながりや、より多くの信号を受け止めることを意味する。（注37）

バーバラさんは、その著書の中で、豊かな刺激のある環境で育ったラットの神経細胞図と、

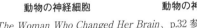

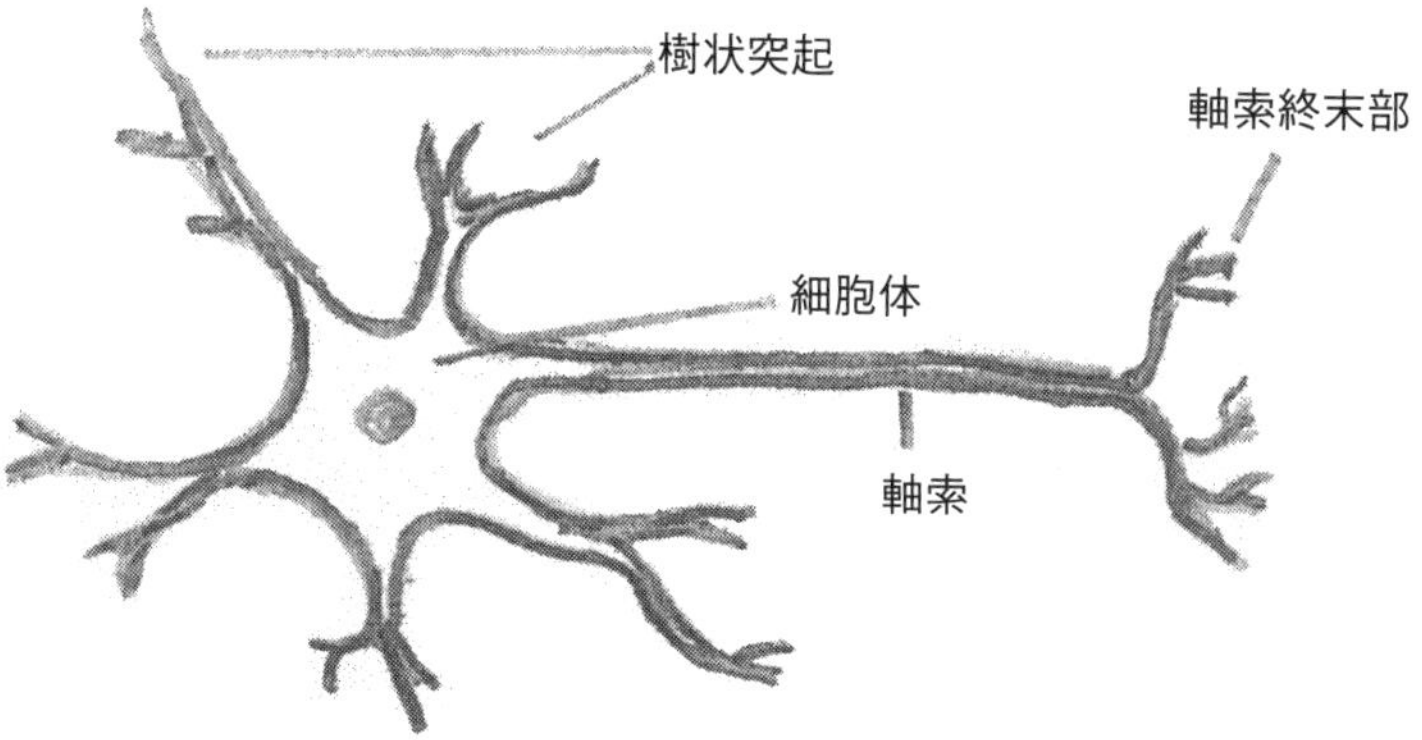

図3　神経細胞（ニューロン）の構造図
『はじめて出会う心理学』、p.254 参照

貧しい環境で、刺激が少ない状態で育ったラットの神経細胞図を紹介している。前者は細胞体から出ている樹状突起の枝が多く、軸索が太く、軸索からも樹状突起が頻繁に伸びている。

ここに描かれた2つの神経細胞（ニューロン）は、右の図は刺激のある環境で育った動物、左の図は、刺激のないところで育った動物のものである。

21 神経の伝達

では、どのように脳内で神経の伝達がなされるかを見ていく。人間の脳には数千億個の神経細胞（ニューロン）があり、基本的な構造として、細胞体や、樹状突起、軸索、軸索終末部で成り立っている。

（1）細胞体は、DNAが含まれていて、さまざまな

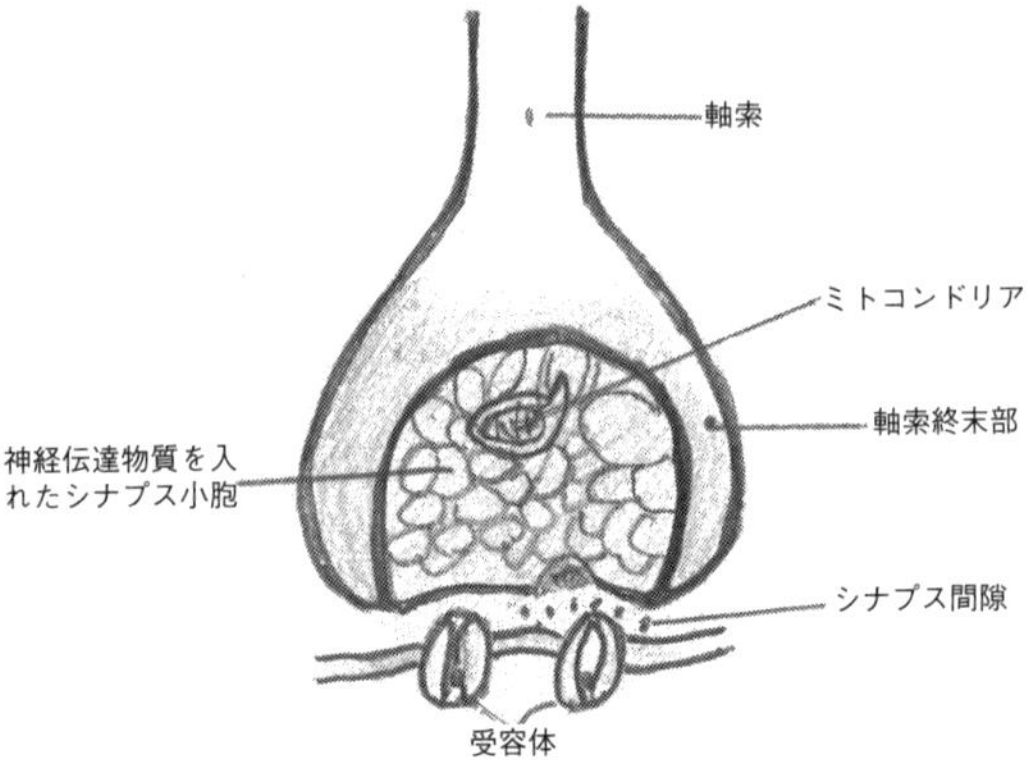

図4　シナプスにおける化学神経伝達
『はじめて出会う心理学』、p.255 参照

タンパク質を合成する。
（2）樹状突起は、他の神経細胞（ニューロン）から信号を受け取るアンテナの役割。
（3）軸索は細胞の電気的興奮を伝えていく。
（4）軸索終末部は電気的興奮を他の神経細胞（ニューロン）に引き渡す。
（5）軸索終末部が他の神経細胞（ニューロン）と接するところには、わずかな間隙があり、それはシナプスと呼ばれている。[注38]

22　バーバラさんの決意と挑戦

ローゼンツウェイグの「神経可塑性の可能性」という論文に触発されたバーバラさんは、学習機能不全を治す訓練課題を創る決意をする。「できなさ」そのものを正すことが目的ではなく「できなさ」を起こしている原因、つまり、弱い認知機能に立ち向かうことを望む、と。[注39]

そして、指導する教科の工夫をしたり、補償教育をしたりするのではなく、神経可塑性を目指して、機能不全である神経細胞（ニューロン）に、刺激を送る方法を考えていった。

因みに、補償教育とは、「試験時間を延長する」、「計算機を使う」、「全員で朗読する」等の手段で「できなさ」を補って、試験や学習を進めることを意味する。

23 直観から科学へ

脳を負傷したザシェツキーの「関係性把握困難」等の症状が、自分の状態と似ていることを知ったバーバラさんは、自身の神経細胞（ニューロン）の機能不調に思い至った。

そして、アナログ時計の長針と短針の書かれた図を用意し、来る日も来る日も、読めるようになるまで、厳しい自己訓練を行なった。その訓練は神経細胞（ニューロン）への刺激となり、神経の配線を変えていった。可塑性が生じたのである。

脳の神経細胞（ニューロン）に与える刺激が、可塑性をもたらすというローゼンツウェイグのラットの研究結果を核に据え、バーバラさんは訓練課題を考案することを続けた。

１９７０年代のことである。開発した課題が、機能不全を起こしている領域に刺激を与えるかどうかの判断は、バーバラさんの直観と叡智によるものであったであろう。(注40)その治癒効果を持って1980年に、バーバラさんは、アロースミス・スクールを創設している。

現在では、脳と学びの関係を科学的に把握することができる機器を導入し、アロースミス・スクールが科学的に運営されていることは、オンライン研究会等を通して知ることができる。また は、研究機関と連携して、訓練後の神経細胞（ニューロン）の変化を立証しているという内容のメールをアロースミス・スクールの上司の方からいただいた。

24　認知プログラムの課題を開発

脳の神経細胞（ニューロン）は、ネットワークでつながって、さまざまな機能を果たしていく。情報処理、記憶形成・保持、空間認知、物の識別、文法的発言、等々、生きる活動の源となるあらゆる機能を果たす。

学習の「できたり」、「できなかったり」する問題は、脳内の領域、ネットワークそれ自身など、多くの段階で生じる。

ある領域の機能的「弱さ」は、同じネットワーク上にあるさまざまな他の機能にも影響を及

ぼす。(注41)

バーバラさんは、アナログ時計が読めないという機能的弱さを持っていたので、読めるようになりたいという一心で行なった訓練が、機能不調であった神経細胞（ニューロン）への刺激となり、神経可塑性を起こした。そして、同じネットワーク上の他の「できなさ」も「できる」ようになっていったと理解している。

既に述べたが、脳内のネットワークの円環（神経細胞の組織）に、外部環境からあるものが参加し、円環の一要素となることを、ルリヤは皮質外組織化（脳外結合）と呼んでいる。(注42)時計を読むという外部からの刺激が、皮質外組織の要素として、脳内細胞の組織に円環し、機能不全であったネットワークを機能するように変えたのである。バーバラさんは、ルリヤの理論を基盤に据え、認知の訓練課題の開発を続けていった。

神経可塑性によって機能不全を治すことを目指すには、「認知機能と刺激」に関するプログラムが不可欠である。1970年代から、バーバラさんは、認知機能の訓練プログラムの研究を続けている。

バーバラさんが開発した認知機能の訓練を行なうことは容易ではない。課題の難易度は、個人の機能の段階に対応させている。もしも訓練があまりにも難しいか、あるいは易しいならば、その課題は効果的なものではなくなる。

バーバラさんは、各課題に対して、心を込めて、慎重な姿勢で開発に取り組んでいった。

25 *The Woman Who Changed Her Brain* から得た情報

・バーバラさんが機能不全な状態であったこと。
・神経心理学者であったルリヤの患者で、脳に負傷した兵士（ザシェツキー）の状態が、バーバラさんの状態に似ていたこと。（それで、バーバラさんは自身の脳内細胞の機能が不調であることに気づいた）。
・バーバラさんは、自らの機能不全を自らの方法で治療したこと。
・神経心理学者ルリヤの理論と、認知心理学者ローゼンツウェイグのラットの研究（神経可塑性理論）をアロースミス・プログラムの理念に据えたこと。
・自らに課した認知機能の訓練法をもって、１９８０年に、ＬＤ（学習機能不全／不調）の人々を治療するスクールを開設したこと。
・神経可塑性によって、学習者の学ぶ脳力を根本的に変える、そのために、神経学と教育学が分断状態であってはならないと指摘したこと。

・すでに、ハーバード大学は、「精神（心）、脳、教育」の研究所を開発し、神経学と教育学に橋を架ける作業をしているということ。

以上が、*The Woman Who Changed Her Brain* から学んだ要旨である。

[Ⅱ] 脳の領域と認知機能

1　脳力を変える

脳の神経細胞（ニューロン）は可塑性（変形する性質）がある。それは訓練や経験に反応することで、脳の構造と機能が変化する脳の力である。

樹状突起（細胞体にある枝）を成長させ、他のニューロンとの接合を強化し、新しい神経のつながりを形成して、神経を成長させ、神経伝達物質を増やし、学習する脳の容量を変化させる。これらすべてを「神経可塑性」と呼ぶ。

神経可塑性による脳の変化は生涯を通して存続する。例えば、神経可塑性によって読み困難がなくなると、生涯にわたって読み困難は起きない。

テュレーン大学の神経科学者、ドクター・ヒースらが行なったような脳へ埋めた電極は、バッテリーが切れたら機能しなくなるが、神経可塑性にバッテリー切れはない。

アロースミス・プログラムの目的は、学習困難の原因となる脳の領域に刺激を与えて、機能するように脳を変化させることにある。つまり神経可塑性を目指すのである。

学習者の潜在的な脳力が土台となり、そのゴールは学習者の学ぶ力そのものを変えていくことにある。

伝統的なLDへのアプローチは、工夫や補償という対応であった。しかし、工夫教育や補償教育は、そこにかかる時間のわりには効果がなく、学習困難な状態は解決せず、一生続くという難点がある。

アロースミス・プログラムは、学習内容を工夫して教えることではなく、学習者の学ぶ脳力を変え、学習困難な状態をなくしていく。

神経可塑性による脳力の変化で、「読み書き、数の感覚、記憶（聴覚・視覚）、言語使用、推理、思考、計画、課題の理解、非言語的状況の理解、社会相互関係の理解、空間推理」等々の「できなさ」が「できる」ようになる。

2　認知力のアセスメント

アロースミス・プログラムは、学科と社会的スキルに影響を与える学習機能不全に対して、根底となる認知力を高めるようにデザインされている。

アロースミス・プログラムを実施するには、認知機能検査を行なって、当該生徒の脳力を見立てなければならない。

まず、生徒の現状の学業成績と、学習困難の原因となっている、機能不全を起こしている脳の領域について検討し、19の認知機能領域のうち、どの領野に機能不全があるのかを立証する。

このアセスメントは、40時間かけて行なわれる。

その結果から、認知力を高める効果的な訓練内容を計画し、各自に必要なプログラムを立案して、それに沿って訓練が行なわれていく。

訓練が始まる前に、学習や社会的な場で起きる「できなさ」の原因となる、機能不全の領域を示し、神経細胞（ニューロン）の状態を変える訓練の目的と内容が、父母または本人に説明される。

1つの領域における機能の強さは、他の弱い機能を助けること、また、1つの領域における機能の弱さは、他の強い機能の働きを抑制することがあるといった、神経細胞（ニューロン）のネットワークについて父母に伝え、練習のあり方を理解していただき、訓練を進めていく。(注43)

3　ブロードマン・エリア

ブロードマン・エリアとは、脳のどの領域が、どのような機能をもつかを明示したものである。アロースミス・プログラムが提示する、19の認知機能の働きと脳の領域について、ブロードマン・エリアを明記している箇所と記載のない箇所がある。記載されている箇所は、科学的な裏付けのある確かなものと理解する。

ブロードマンの脳地図は、脳研究が盛んであった19世紀末から20世紀初頭にかけて、神経学研究者であったコルビニアン・ブロードマンが作成した、脳機能の部位を地図化したものである。

ここでは、河村満・奥沢病院・名誉院長が書かれた「ブロードマン没後99年に寄せて」という寄稿文から、ブロードマン脳地図について学んでいく（注44）。

人間の脳は、数千億個という神経細胞（ニューロン）が集まって構成されている。その神経細胞（ニューロン）には、形態と機能が異なるさまざまな種類があり、大脳皮質では、それらが種類ごとに地層のような層構造を形成している。

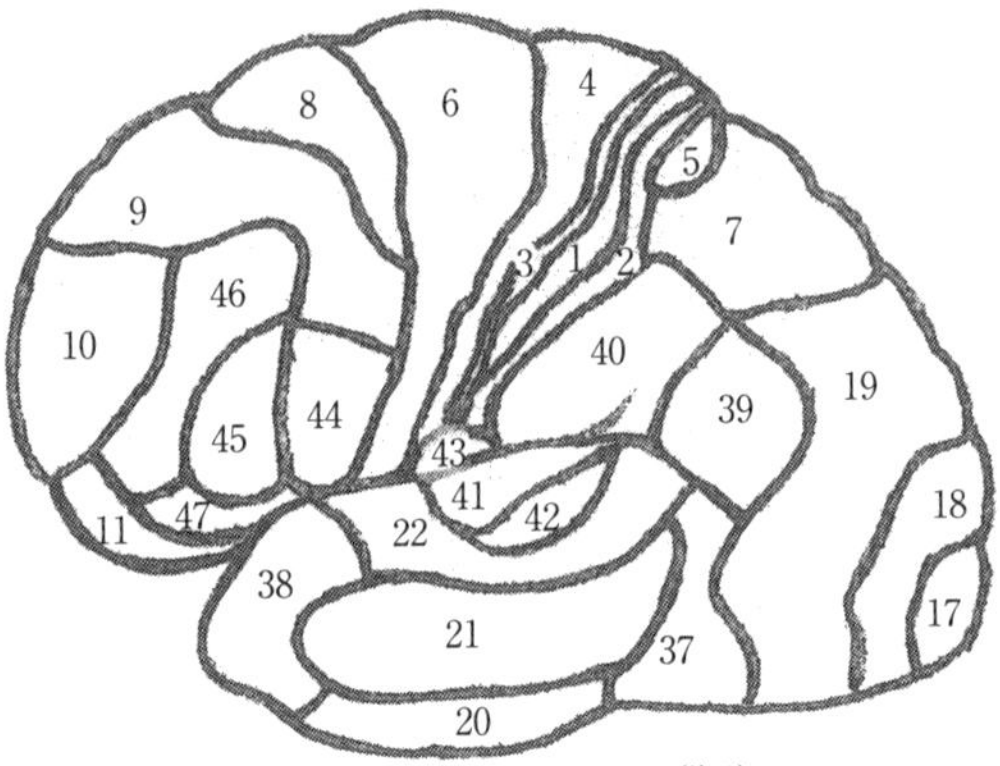

図5　ブロードマン・エリア（注45）

The Woman Who Changed Her Brain、p.227 参照

ブロードマンの研究以前から、大脳皮質の層構造は知られていたが、研究者により、各層の呼び方は異なっていた。ブロードマンはそれを6層に分け、この6層構造が大脳皮質の場所ごとに異なることを発見したのである。

それらは、表面から順に1．表在層、2．外顆粒層、3．錐体細胞層、4．内顆粒層、5．神経細胞層、6．多形細胞層、と名付けられた。

さらにブロードマンは、このような層構造を大脳皮質全体で調べ、層構造が共通するところと異なるところで区分けし、52の領野に分けた。この情報を大脳の図にマッピングし、ビジュアル化したものがブロードマンの脳地図である。

これは、形態に基づいた脳の区分図で、研究者にとって大きな価値をもたらした。なぜならば、形態の差異が機能の差異に結び付いていたからであった。

「どのような形をしているか（形態の差異）」で分けた区分と、「何を行なうのか（機能の差異)」で分けた区分が、多くの場合一致していたのである。

ある機能を遂行するためには特定の(ある形をした)神経細胞が必要となる。その神経細胞(ニューロン)が働かないと(機能不調であると)、例えば、「アナログ時計が読めない」というようなことになる。

そこで、特定の神経細胞(ニューロン)の機能を回復するため、外部からの刺激で「神経可塑性」を目指していくのである。

4 ブロードマン・エリアと名前

・ブロードマン・エリアの1野、2野、3野は「一次体性感覚野」と呼ばれ、4野は「一次運動野」と名付けられている。

・5野は「体性感覚連合野」である。

・6野は「前運動野」、「補足運動野」という呼び名である。

・7野は、体性感覚連合野である。

・8野は前頭眼野

・9野は前頭前野背外側部

・10野は前頭極

・11野は眼窩前頭野
・13野は島皮質
・18野は二次視覚野
・20野は下側頭回
・22野は上側頭回
・24野は腹側前帯状皮質
・26野は Ectosplenial area
・28野は後嗅内皮質
・30野は帯状皮質の一部
・32野は背側前帯状皮質
・34野は前嗅内皮質
・36野は海馬傍回皮質
・38野は中側頭回
・40野は縁上回
・42野は高次聴覚野
・44野は下前頭回弁蓋部

・12野は眼窩前頭野
・17野は一次視覚野
・19野は視覚連合野
・21野は中側頭回
・23野は腹側後帯状皮質
・25野は膝下野
・27野は梨状葉皮質
・29野は脳梁膨大後部帯状皮質
・31野は背側後帯状皮質
・33野は前帯状皮質の一部
・35野は嗅周囲皮質
・37野は紡錘状回
・39野は角回
・41野は一次聴覚野
・43野は Subcentral area
・45野は下前頭回三角部

・46野は前頭前野背外側部
・48野はRetrosubicular area
・47野は下前頭前野
・52野はParainsular area（注46）

5　脳の領域とアロースミス・プログラムの認知機能

アロースミス・プログラムの「1〜19の認知機能」に明示されているブロードマン・エリア（領野）が、機能しない場合の「できなさ」について、以下に紹介する。

ブロードマン・エリアの「1野、2野、3野、4野」が機能不全であると、「ものにぶつかる」、「文字を書くとき不均衡な圧力がかかる」、「文字が線から外れる」といった状態が起きる。また、筋肉運動のコントロールが弱いと、「ぎこちなさ」や「あいまいさ」があって、物につまづいたり、ぶつかったりする。バーバラさんがよく物にぶつかることを、母親が心配したというエピソードは、既に紹介したが、バーバラさんには、この「1＋2＋3＋4」領野に機能不全があったと考えられる。（アロースミス・プログラムの認知機能「10」「18」参照）

ブロードマン・エリア「6野」の機能は、目を通してのインプット、手や口を通してのアウトプット、つまり、「読む、書く、話す」ことに関係する機能である。この機能に弱さがあると、「書き文字がうまくない、綴りは不規則、話はとりとめがなく、まとまらない」といった状態になる。（アロースミス・プログラムの認知機能「1」参照）

ブロードマン・エリア「7野＋6野＋39野」の機能不全は、数学、計算（加減乗除）の「できなさ」として現れる。39野は、「角回」と呼ばれる。ここが機能不全であると、逆転文字を書き、数学の手順や理論が分からず、関係性や、因果関係が分からなくなる。（アロースミス・プログラムの認知機能「2」「19」参照）

ブロードマン・エリアの「8野、9野、10野、11野、44野、45野、46野」は「眼窩前頭野」と呼ばれ、これらの領域が機能不全である場合、学習を推進させることが困難であったり、組織化や計画をしたりすることが困難になる。ここに47野の機能不全が加わると、非言語合図（表情や指図等）や情報の解釈が困難で、適切な行動がとれなくなり、自他ともの理解が困難になる。（アロースミス・プログラムの認知機能「7」「12」参照）

ブロードマン・エリアの「18野、19野、37野」は「視覚連合野」と呼ばれる。単語や記号を認識し、記憶する機能があり、ここが機能不全であると、単語を何度くり返し見ても学べない状態になる。（アロースミス・プログラムの認知機能「8」参照）

ブロードマン・エリアの「37野、18野、19野」の「後頭葉─側頭葉領域」の左半球が機能不調であると、単語や記号を学ぶことが困難になる。（アロースミス・プログラムの認知機能

「8」「14」参照）
ブロードマン・エリアの「44野、45野」に機能不調があると、言葉を発音することが困難となる。ブローカ領域として知られている。（アロースミス・プログラムの認知機能「5」参照）
ブロードマン・エリアの「22野」の機能不調では、似た音の言葉（dear/hear、doom/tomb）の識別が困難となる。（アロースミス・プログラムの認知機能「6」参照）。[注47]
アロースミス・プログラムでは、認知機能の不調について、その原因となるブロードマン・エリアのいくつかの領域を把握している。アロースミス・チームは、オンラインセミナー等で脳領域とその機能について発表し、プログラムを科学的に立証することを続けている。
ここまで、「神経可塑性」とは、について学んだことを述べた。認知機能に焦点を合わせて、「神経可塑性」という概念をいかに実践するのかについては、「まとめ」の中で見解を述べる。

[Ⅲ] 音がもたらす神経可塑性

1　サウンド・セラピーで神経可塑性を起こす
――ディスレクシアだったポール・マドールさん

ポール・マドールさんは１９４９年にフランスで生まれた。彼は重度なディスレクシアであった。「ディスレクシア」は、「識字障害や読字障害」と日本語に訳されているが、ディスレクシアの状態は「読み」に関することだけではないので、ここでは日本語に訳さず、「ディスレクシア」と、片仮名読みにして書いていく。

ポールさんが10歳の頃まで、両親は言語療法など、あらゆる種類の療法家に治療を受けさせたが、状態は変わらなかった。

言語以外にも多くの問題があった。空間認識力や注意力に欠け、ぎこちなさがあり、電柱によくぶつかった。

10年生の通知表では、態度点はよかったが、学科の成績は全て不合格で、クラスの順位は最下位であった。両親は、彼を怠け者だと言って叱った。

3度目までの落第は、再試験をすることで、最後の学年である10年生に留まれたが、4度目の落第は、再試験の制度がなく、退学せざるを得なかった。

落ちこぼれて学校をやめたポールさんは、生きる意欲もなく、実家で過ごし、18歳になっても就労できず、社会から孤立していった。そのような日々を過ごすうち、あるときから、家の近くにあるベネディクト会の修道院に毎日自転車で通うようになった(注48)。

2 アルフレッド・トマティス医師の治療――活力を与える高周波数帯域

毎日、修道院にやってくるポールさんの事情を知ったマリエ神父は、ディスレクシアに関する研究を行なっていたアルフレッド・トマティス、という耳鼻咽喉科の医師をポールさんに紹介した。

僧侶たちの集団ノイローゼが発生していたので、その治療のために、トマティス医師が修道院に呼ばれていた。

トマティス医師は、修道院の小部屋に聴力検査器のような装置を設定し、一人の僧侶に、病気になった仲間の僧侶らの検査をする方法を教えていた。

僧侶らがなぜ病気になっていたかというと、新たに就任した修道院長が、公会議でのグレゴリオ聖歌の詠唱は何の効果もないと、詠うことを禁止していたからだということが、トマティス医師の治療後に分かった。

トマティス医師は、ノイローゼになっていた僧侶たちに、電子耳につけたマイクロフォンに向かって詠唱させ、彼ら自身の声を聴かせた。電子耳には、活力を与える高周波数帯域の音声を強調するフィルターがかかっていた。

すると、しばらくして、ほぼ全員がうつ状態から回復し、活力を取り戻したという。聖歌の詠唱が禁じられ、音声による刺激を失っていた彼らは、音の出すエネルギーに飢えていたのであった。そのことに修道院の関係者は、誰も気づいていなかった。

詠唱が活力をもたらすには、高周波数帯域に反応する渦巻管（蝸牛管）を刺激する高い声を、詠唱者は出さねばならない。蝸牛管は多数の受容体を備える内耳の一部である。

トマティス医師のサウンド・セラピーが、修道僧らを復活させたということは、皮質下の神経に可塑性が生じたということを意味している。

3　リスニング検査

マリエ神父に紹介されて、ポールさんはトマティス医師に会った。トマティス医師はポールさんの診察をする前に、聴力の検査が必要であることを伝えた。ポールさんが検査のために小部屋に入ると、そこにはいくつかの機器が並んでいた。

トマティス医師は、ポールさんにヘッドフォンを装着するように言い、ビープ音が右耳に聴こえたら右手を、左耳に聴こえたら左手をあげるようにと指示をした。

次に、2つのビープ音を聴いて、どちらの音が高いかを告げるように指示をする。これらのことは、これまでに受けた聴力検査と同じだと、ポールさんは思ったという。しかし、それは聴力検査（ヒヤリング検査）ではなく、聴き取り検査（リスニング検査）であった。

トマティス医師は、ヒヤリングを耳が関与する受動的な経験と捉えていたが、リスニングは、耳を通じて入ってきた刺激から、脳が何らかの情報を解読する積極的な過程であると捉えていた。リスニング（聴き取り検査）の結果、トマティス医師はポールさんの症状について、次のようなコメントをした。

「君はディスレクシアのようだ。極端に内向的で、ぎこちなく、かんしゃくもちである。いつも不安で、不眠症で、未来に対する恐れを持っている」と。リスニング検査だけで、そのように、自分のことを指摘されたポールさんは、驚きを隠せなかった。

4　音によるエネルギーが脳を再配線

トマティス医師は、パリにある自身の診療所で、ポールさんを治療することにした。その際、ポールさんの母親の声を録音したテープをセラピーに使うことを伝えた。

パリの診療所で、ポールさんは再びヘッドフォンを装着されて、リスニングから始まった治療は、毎日行なわれ、それは数週間続いた。

最初に、モーツアルトの曲に電気的に加工された耳障りな音の断片を聴いた。それを聴く間、何をしてもよいと言われたポールさんは、得意な絵を描いて過ごした。

週ごとに、リスニングの音は異なっていった。日がたつにつれて、徐々に、耳障りな音の断片の背後に、個別の単語が聞え始めた。やがて、語句や文章も聞こえるようになった。

数週間が経った時、ポールさんは自分のリスニング能力が向上しつつあることに気づいた。

音をよく理解できるようになっていたのである。そしてある日、突然、それまで聴いていたかん高い音の中に、自分の母親の声が混ざっていることに気づいた。

ドクター・ドイジは言う。「この変容がいかに起こったのか？ 単なるエネルギー（音波によるエネルギーと情報）が、いかに彼の脳を再配線したかを理解するには、何年もの研究が必要であろう」と。

ドクター・ドイジは、音によるエネルギーが、脳の神経可塑性をもたらしたことを理解するための研究が必要だという。(注49) しかし筆者は、リスニング・セラピーによって、ポールさんの状態が治癒されたという事実だけで、この方法を学びたいと、切に思う。

5 アルフレッド・トマティス医師の発見――トマティス効果（第1法則）

若き日のアルフレッド・トマティス学徒は、努力家であった。毎日、夜遅くまで勉強をし、朝は4時に起きて、モーツアルトの音楽を聴きながらさらに勉強をした。ソルボンヌ大学を優秀な成績で終え、耳鼻咽喉科の道に進んだ。そして、医学の学位を取得して空軍に就職した。

そこで研究を続けるうちに、トマティス医師は、空軍で働く人々が、4000ヘルツ近辺の聴覚能力を失う」という発見をした。砲撃、爆発などの音による聴覚の消失が、運動障害や心的な障害を引き起こすことに気づいたのである。

騒音による健康災害を指摘した最初の人が、トマティス医師で、耳にはそれまで知られていなかった、身体との結びつきがあることを発見した。

父親がオペラ歌手であったトマティス医師は、オペラ歌手の歌い方を研究するうち、喉頭は歌うための重要な器官であるという捉え方は間違いで、重要なのは耳だという考えを持ち始めた。

その後、ソルボンヌ大学のある研究者が、トマティスの実験に関連した自身の研究をフランス医学アカデミーと科学アカデミーに提出した。それは、「発することのできる声の周波数は、耳が聴くことのできる周波数のみである」という結論であった。この考えは「トマティス効果」と呼ばれるようになった。

さらに、トマティス医師は「音声分析器」という、音声が含むあらゆる周波数を示す装置を考案した。これは、さまざまな困難を持つ子どもたちの治療に役立っていった。(注50)

6　トマティスの第2法則と第3法則

トマティス医師が考えた電子耳は、「マイクとヘッドフォン、任意の周波数を遮断するフィルター、強調する増幅器」から成っていて、トマティス医師の治療の基盤となった。

声を損なった歌手が受けるサウンド・セラピーは、「マイクに向かって歌ったり、話したり、ヘッドフォンを通して、フィルターのかかった自分の声を聴いたりする」というものである。

この実験で、トマティス医師は、「声を損なった歌手が、高周波の音をうまく聴くことができていないこと」に気づいた。

そこで、低音域を遮断し、高音域が聴こえるようにフィルターを設定したところ、この装置に向かって歌った歌手の声は大きく改善された。

この結果は2つの法則を導いた。「損なわれた耳に、失われた（もしくは阻害された）周波数の音を正しく聴く機会を与えれば、その周波数は、発声において、無意識に、ただちに、回復する。」（トマティスの第2法則）。

「聴覚と発声能力の改善は、装置を使わなくなった後でも持続する。適切な周波数に耳をさらす訓練は、リスニングと発声の能力に恒久的な効果を及ぼす。」（トマティスの第3法則）。トマティス医師は、こうして、第2、第3の法則をも見出していった。[注51]

7　音を聴く仕組み

「耳への音のエネルギーが、脳を再配線する」ことを学ぶには、耳の機能について知っておく必要がある。音は、空気や水、物体などを伝わる振動である。

周波数とは、1秒間に繰り返す振動数のことである。単位はヘルツ（Hz）で表す。周波数が高くなるほど、高い声に聞える。人間の耳に聞えるのは、低い音の約20Hzから、高い音の約2万Hzまでである。それより高い音も低い音も聞えない。

音の大きさを表すには音圧レベルが用いられる。単位はデシベル（dB）で表す。

0デシベルから120デシベルまでの音の大きさ

120dB：ジェットエンジン

80dB：自動車

60 dB：通常の会話
40 dB：住宅内
20 dB：ひそひそ話
0 dB：最小可聴限

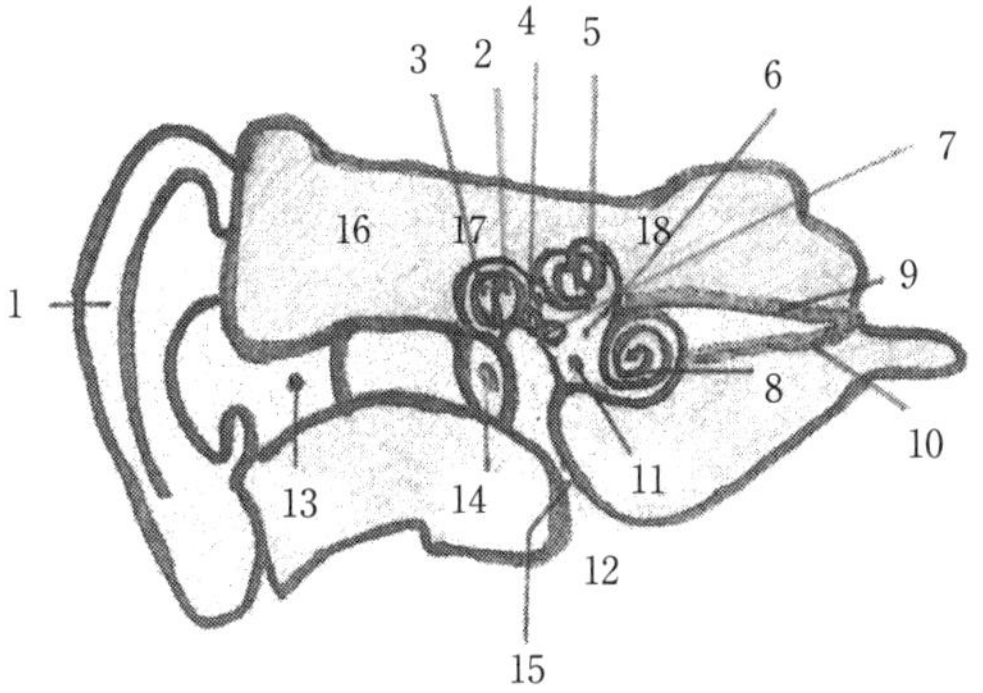

図6　耳の仕組み図

1　耳介　2　つち骨　3　きぬた骨　4　あぶみ骨
5　三半規管　6　前庭　7　前庭窓　8　蝸牛
9　前庭神経　10　蝸牛神経　11　蝸牛窓　12　鼻腔
13　外耳道　14　鼓膜　15　耳管　16　外耳
17　中耳　18　内耳
『はじめて出会う心理学』、p.173参照

音の波は、外耳道を通って鼓膜に達し、鼓膜を振動させる。鼓膜の奥には、耳小骨と呼ばれる3つの米粒大の骨があって、鼓膜の振動を蝸牛の中のリンパ液に伝える。

このリンパ液の振動が蝸牛の中の基底膜にある有毛細胞を動かし、ここで神経の信号に変換されて、脳へと伝えられる。(注52)

音の波の伝導

外耳道→鼓膜→耳小骨→蝸牛の中のリンパ液→神経の信号に変換→脳へ

8　耳は脳のバッテリー

耳は、脳の神経可塑性にとって重要な感覚器官である。脳を訓練する1つの形態として、皮質下への高周波音による聴覚刺激がある。聴覚刺激によって発火した神経細胞（ニューロン）同士は結合を強める。そして、その神経細胞は変化し続ける。

高周波音が絶たれると、沈んだ声で話し始めたり、うつむき加減になったりして、声は単調になり聞きにくくなる。高周波音で歌うグレゴリア聖歌の詠唱を禁じられた修道僧らは、その音を聞くことがなくなり、うつ病のように活気のない状態になっていた。

高周波音は脳を活性化させる。トマティス医師は、「耳は脳のバッテリーである」と結論づけた。(注53)

9 聴覚ズーム

トマティス医師は、「耳は受動的な器官ではなく、特定の音に焦点を絞って、その他のノイズを排除するズームレンズのような働きをする」と捉え、これを「聴覚ズーム」と名付けた。アブミ骨筋と鼓膜張筋と呼ぶ中耳の2つの筋肉が、特定の周波数に焦点を絞るように作用する。これらの筋肉の調整は、無意識のうちに自動的に生じ、聴覚ズームを可能にする。

アブミ骨筋は緊張すると、高周波音を邪魔する低音を消して、中高域の周波数音への知覚を強くする。つまり、背景にあるノイズ（低周波音の知覚）を減退させ、環境から言語音を引き出すのである。鼓膜張筋は鼓膜の緊張を調節する。

幼い子どもの状態は、これらの筋肉が弱くて十分に機能していないので、背景のノイズ（低周波音）を過剰に受け取り、高周波の音声を十分に受け取れなくなるということに、トマティス医師は気づいた。

メリーランド大学の神経学者ジョナサン・フリッツらの、周波数に関する研究がある。それは、重要な情報を運ぶ特定の周波数音を耳にすると、その周波数に対応する聴覚皮質の脳マップ領域が、数分以内に増大するというものである。

その周波数の音が止まると、その領域は元の大きさに戻るか、そのままの大きさを保つ。聴覚ズームには神経可塑的な要素が含まれる。

発育が未熟な子どもには、全身の筋緊張低下症がよくあるという。筋緊張低下は、耳の筋肉に影響を及ぼすため、特定の音の周波数に焦点を絞ることができない。そのような子は、明確な信号を受け取れない。なぜなら、未分化な音や鈍った音のみが聴こえたり、一度にあまりにも多くの音が聴こえたりするので、正常な成熟が妨げられる。

ポールさんに起こっていたのは、正に、この現象であった。つまり、彼が聴くあらゆる音が鈍っていて、聴覚・脳マップの差異化がなされていなかったのである。それで、彼の発する言葉の全てが、不明瞭なつぶやきになり、高い音や低い音を聞き取る領域が曖昧模糊としていたのである。[注54]

10　電子耳で聴覚ズームを訓練

トマティス医師は、聴覚ズームを訓練するために、電子耳を使って音を操作することを考えた。まず、聴覚マップが未分化な人に、周波数の異なる音を聴かせる。トマティス医師がアレンジした音楽を聴く人は、背景のノイズから言語音を識別できるようになる。これは、（高い音や低い音を聞き取る）差異化された脳マップを形成する訓練であった。

大半の人にとって、左半球にある言語野に、最も速く情報を送る神経経路の大部分は、右耳にある神経繊維から始まる。それで、左耳で言葉を聴く人は、左耳から入った音が、右側にある神経繊維に伝わり、そこから脳の中央部を横切って、左半球の言語野を目指すので、言語領域に到達するまでには、０．４秒の遅れが生じる。

この状態であると、聞いた話を処理することに遅れる。すると、考えたことを言葉にするため、余分な時間が必要となる。その結果、思考の流れが鈍るということになる。

左側で聴くことを長く続けていると、脳に混乱を来す。それで、読み困難や、口ごもりや、吃音に至ったりする。

ポールさんの話し方や聴き方、行動から、彼が左耳で聴いていたことを、トマティス医師は気づいていた。さらに、ポールさんは、右手と左手に対応する脳領域の差異化ができていなかった。異なる作業を左右の手で同時に行なう能力が弱く、動作はぎこちなく、書き文字は乱れ、読むとき、文字をうまく拾えないという状態にあった。

ポールさんのセラピーにおいて、トマティス医師は、左耳への音量を下げることで、右耳とその神経回路を刺激するように、電子耳を設定した。低周波音を聴きすぎるため、高周波音を十分に聴き取れず、ポールさんは人の話をよく聴き損ねていた。それには2つの理由があった。

1）ポールさんの全身にわたる筋緊張の低下が、姿勢の悪さや動作のぎこちなさ、または、キビキビと歩かないことにつながっていた。耳の筋肉と聴覚ズームが衰退し、言語音の周波数が識別できなくなっていたのも筋緊張低下症によっていた。

2）ポールさんがほとんど、左耳で聴いていたことによる。右耳とその神経回路は、左耳に比べて、より高い周波数の言語音を聴く能力があることをトマティス医師は発見していた。

したがってポールさんは、明確な言語音より、背景のノイズを聴くことが多かったのである。右耳とそれに関連する聴覚皮質は、普通、高い周波数帯域を処理する。明確に言語音を処理できるように、右側を刺激することによって、ポールさんの脳を訓練することができたのであった。(注55)

11 リスニング・プログラム——耳への刺激で脳を訓練

トマティス医師は、考案したリスニング・プログラムを2つのフェーズ（段階）に分けた。

「受動フェーズ」

第一フェーズ：最初の受動段階で、15日間続ける。クライアントは、アレンジされた音楽を集中せずに聴くだけでよいので、「受動」と呼ばれる。音楽にはあまり注意を向けない方が効果は上がる。注意を向けると、治療の対象にすべき習慣（例えば、左耳で聞こうとするような習慣）を呼び起こす可能性がある。

電子耳は2つの聴覚チャンネルから構成される。

（1）高い周波数帯域を強調し、低周波数帯域を抑えるフィルターがかけられた音楽を出力する。

（2）低い周波数帯域の音を出力する。これは、筋緊張が低下した貧弱な耳に聴こえる音の再現である。リスニングに支障をきたした人に、このチャンネルを聴かせると、彼らの耳は「弛緩」して、リスニング時のいつもの習慣と同じ、うつむき加減になり、気分が落ち込んだ状態になる。

高周波チャンネルと低周波チャンネルは、常に音量の変化をきっかけに切り替わる。音量が小さいときは低周波チャンネルの音が聴こえ、それが一定のデシベルまで上がると高周波チャンネルに切り替わる。

高周波チャンネルに切り替わると、耳の筋肉と、高周波リスニングの能力が行使される。低周波チャンネルに切り替わると、耳の筋肉と高周波に結びついたニューロンが休む。

受動フェーズが終わるとポールさんは、リスニング能力が向上していた。脳が適正な情報を受け取り、努力をしなくても会話についていけるようになったことを実感したと、ポールさんは言う。受動段階の終了から能動段階の開始まで、4～6週間の静養期間がとられ、訓練で得たリスニング効果を根付かせていく（注56）。

「能動フェーズ」

第二フェーズ：能動段階で、ポールさんはヘッドフォンを装着した。マイクに話しかけ、電子耳を通じて自分の声を聞く訓練を受ける。それは、よりよい自己表現を習得するためであった。

聴覚の処理能力は大きく改善していたので、ポールさんは、自分の本当の声を聴くことができ、処理能力をさらに向上させ、活力をみなぎらせていった。舌や口の筋肉を動かしながら、細心の注意を払って言葉を発する。それによって、声を出す際に生じる唇、喉、顔面、その他の骨の振動を感じることができるようになった。

さまざまな言葉を発するうちに、十分に差異化された自己受容感覚を得た。それは、唇、舌、その他の身体部位の正確な位置に対する気づきであった。さらに、ポールさんはつぶやきながら一本調子で話すので、それを改善するために、はっきりとした母音の発音を心がけること、同じ文を繰り返し口にすることを、トマティス医師は指示した。

さらに、背筋を伸ばして座らせ、正しく呼吸することも指示した。

そんなある日、ポールさんは1冊の絵本を手に取った。絵を眺めていると、そこに書かれた文章を読んでいる自分がいた。理解して読めていたのである。そのとき、ポールさんは、ディスレクシアが治っていることに気づいた。

トマティス医師は、さらに、読み方、書き方、スペリング能力を向上させるための指導も行なった。目で意識的に文章を追いながら音読をする、電子耳を通してその声を聴く、といったことを教えていった。(注57)

12　ポールさんの神経可塑性

毎日、トマティス医師が課す音読の宿題を行なううちに、ポールさんは、何かを学ぶことができるようになっている自分に気づいた。それまでは、学習することができなかった自分が、学習をしていたのである。

そして、高校の卒業試験に臨み、合格した。その後、20歳から23歳まで、トマティス医師の診療所の手伝いをしながら、学習困難に悩む人々を支援する方法（音楽にフィルターをかけたり、クライアントの母親の声を録音したり等）を学び、やがて、トマティス・チームの上級メンバーになっていった。さらに学ぶことを続け、ソルボンヌ大学で心理士の学位を取り、1972年にライセンスを取得した。(注58)

ポールさんがトマティス医師から与えられた最初の仕事は、南フランスのモンペリエと南アフリカに、リスニング・センターを開設することであった。けれど、1976年になって、トマティス医師の体調が悪くなったことを契機に、ポールさんはパリに戻り、トマティス医師と共に、クライエントの治療に関わることになった。

神経科学の世界において、神経可塑性の考えがまだ受け入れられていなかった時代に、トマティス医師は、「脳は可塑性を持つ」と主張していた。

子どもの頃、人と話をすることすらはとんどできなかったポールさんは、今や、流暢に英語とフランス語を話し、数ヵ国語で講義を行ない、新たに獲得した「耳」でスペイン語も習得している。

身の回りの整理整頓もままならなかった少年が、メキシコ、中央アメリカ、ヨーロッパ、南アフリカ、アメリカ、カナダなど、30箇所にリスニング・センターを開設する手伝いをするまでになった。

その後、1979年から1982年に、トマティス医師はトロントで過ごし、ポールさんらを責任者にして、そこにリスニング・センターを開設した。ポールさんはここで、神経可塑性を掲げて、学習困難な人々の治療を行なっている。(注59)

13　トマティス医師の敷いた道

トマティス・メソッドはルクセンブルグに本部を置き、外国語の訓練も行ない、世界の約70

カ国に広がっている。

筆者が東京のリスニング・センターを訪問したとき、ポールさんは、ルクセンブルグにある本部から独立して、自身のリスニング・センターを主宰していると聞いた。

トマティス医師から直接セラピーを受けたポールさんが、なぜ、トマティス・メソッドの本部から離れているのかと、少々残念に思い、そのことを質問した。

すると、東京にあるセンターの職員の方は、主義主張が変わることはよくあることだと応えられていた。

しかし、トロントにあるリスニング・センターは、トマティス医師が、ポールさんらに開設させたものである。本部から独立したというよりも、ディスレクシアの人への治療に専念している、ということではないだろうか。

トマティス医師が自分（ポールさん自身）を根底から変えたことへの感謝の思いで、学習困難な人々への治療を第一義にしているのではないかと考えて、ポールさんの独立に納得した。

14 自殺を考えたエリカさん

ディスレクシアは、言葉の問題と考えられているが、身体に違和感を持ったり、身体をコントロールすることができないと感じたりすることもある。

現実から逃避して、夢や空想の世界へと引きこもり、自分の問題を言葉で伝えることもなく、神経過敏になりやすく、重い抑うつを抱え、自殺願望が生じていくこともある。

音によってディスレクシアを治癒することができるということに、最初は懐疑的だったロン・ミンソンという医師がいた。彼はデンバーの長老派教会医療センターの主任精神科医であった。

その養女（エリカ）は小学校に上がったとき、文字の発音が満足にできず、スペリングも算数もできなかった。声は平板になり、エリカさんは、同級生が冗談を言っているのか、怒っているのか、何を言いたいのかもわからなかった。エリカさんは、学年が進むにつれて、どんどんと落ちこぼれていった。

エリカさんの養父であるロン医師の医者仲間が、エリカさんはディスレクシアかもしれないと言った。それで、養父母は、家庭教師、言語療法士、特殊教育など、治療のためにあらゆるアプローチを試みたが、いずれも効果はなかった。

リタリンのような刺激剤を服薬したけれど、それはエリカさんを興奮させただけであった。彼女は不機嫌でふさぎ込み、反抗的な思春期を迎えた。抗うつ剤は、抑うつ以上に苦痛な副作用をもたらした。

高校での読解力は小学校5年生くらいで、学校は彼女を見限り、エリカさんは絶望のうちに高校を2年生で中退した。そして、洗車場などでアルバイトを始めたが、態度の悪さや無断欠勤のため、すぐに解雇されていた。

彼女には自分の未来が全く見えず自殺を考え始めた。(注60)

15　ポール・マドールさんの論文

エリカさんが、自殺を考えた頃、ポール・マドールさんの講演を聞いたというロン医師の同僚がいた。

その同僚は、「トマティス医師によるサウンド・セラピーで、自身のディスレクシアが治った」と、ポールさんが講演の中で語っていたことを、ロン医師に伝えた。

同僚の話を聞いたロン医師は、そのことを、はじめは信じることができなかった。しかしエリカさんの抑うつがますますひどくなっていくので、なんとかしたいと、トマティス医師に関する資料を探し始めた。

すると、ポール・マドールさんが書いた「ディスレクシア化された世界（The Dyslexified World）」というタイトルの論文を見つけた。それを読んだロン医師は、ディスレクシアの人々の苦しみを知った。

養女のエリカさんもまた、ディスレクシアでいかに苦しい毎日を過ごしているかを思って、ロン医師は胸を痛めた。（注61）

かつて、ディスレクシアで、読めない、書けない状態であったポールさんが書いたこの論文は、トマティス・メソッドがいかに優れたセラピーであるかを物語っている。

16　音のリスニング学習センターで治療

はじめ、ロン・ミンソン医師は、トマティス医師やポール・マドールさんの論文にある神経可塑性を疑っていた。しかし、苦しみの中で、死を考えたエリカさんを救いたいという思いで、アリゾナ州フェニックスにあった「音のリスニングと学習センター」に、エリカさんを連れて行った。

そして、3週間に渡り、15回のリスニング・セッションを終えたとき、彼女の抑うつは、直ちにほぼ消えていた。エリカさんは目に見えて明るくなった。

それまでの生活とは変わり、1日中眠っていることはなくなり、4〜5日たつと、心身に活力がみなぎり始めた。そして、自分の意志や感情をすぐに表現できるようになった。

リスニング・セラピーで、脳を活性化する中枢、網様体賦活系の神経に刺激を与えたことにより、睡眠・覚醒サイクルの神経調整が生じて、神経リラクゼーションの段階に至り、その結果、エリカさんは活力を取り戻したのであった。

エリカさんは、それまでコントロールできなかった、気分、学習、差異化を調節できるようになった。[注62]

神経リラクゼーションは、副交感神経の活性化をもたらし、社会参加を可能にする。エリカさんは、サウンド・セラピーを終えて他者とのつながりが持てるようになった。

エリカさんは、「これまで受けたさまざまなセラピーは、自分に何ができないかを示して見せるだけだった。それで、自分は人とは違うのだと感じて、死ぬ日が来るのを待っていた」と言う。

能動フェーズも終えると、エリカさんの自信はいっそう高まっていった。その後、通信教育で高校の卒業証書を取得し、やがて銀行に就職し、永続15年、休むことなく働いた。

養父のロン医師は、「サウンド・セラピーは、精神科医としての私の臨床経験にはなかったもので、しかも、薬に頼ることなく、彼女は回復した」と述べている。

ロン・ミンソン医師は、後にフランス語を習得し、ヨーロッパに行ってトマティス医師のもとで、サウンド・セラピーを学んだという。(注63)

○語句の説明(注64)

神経刺激（Neurostimulation）：光、音、電気、振動、動作、思考は全て神経刺激として利用できる。神経刺激は、機能不全な脳の眠り込んだ神経回路を再生し、治癒プロセスの第二フェーズへと導く。このフェーズでは、再生されて能力が向上したノイズに満ちた脳が再び、自身を調節、統制して恒常性を達成できるようにする。

神経調整（Neuromodulation）：脳が自身の治癒に寄与する内的な方法である。この働きは、神経ネットワークにおける興奮と抑制のバランスを迅速に回復し、ノイズに満ちた脳を鎮める。機能不全を持つ人は、感覚をうまく統制することができない。彼らは、外部刺激に対して敏感すぎるか、無感覚のいずれかである場合が多い。神経調整はこれらのバランスをとる。神経調整が機能するあり方の1つは、皮質下の2つの脳システムに働きかけることで、脳の全体的な覚醒度を再設定する。

皮質下の2つの脳システム：1つは、網様体賦活系のリセットである。このシステムは、意識レベルと全体的な覚醒レベルの調節に関与する。網様体賦活系は脳幹（脊髄と脳の基底の間の脳領域）に位置し、皮質の最上位の部位に向かって広がる。網様体賦活系のリセットは、脳へのエネルギー供給の回復とそれによる治癒を導く際のカギになる。

2つ目は、自律神経系への働きかけである。それはほぼ自動で作用し、意思によるコントロールを必要としない。これには2つの系統がある。

系統1、「交感神経系」：闘争／逃走反応を示す。非常時の生存のために設計されたこのシステムは、全ての活動をその目的のため集中させ、成長と治癒のプロセスを抑制する。機能不全を持つ人は、たった今起こっていることについて行けず、絶望、危険、不安を感じ、交感神経系が支配する場合が多い。問題は、この状態にあると、治癒や学習が妨げられ、脳の変化が起こりにくくなることである。

系統2、「副交感神経系」：この神経系は、交感神経系をオフにして、考えたり反省したりできるよう、人を落ち着いた状態に保つ機能を担う。

神経リラクゼーション：交感神経系がオフになると、脳は回復のための必要なエネルギーを蓄えることができる。本人は主観的にリラックスし、十分な睡眠をとれるようになる。

神経差異化と学習：神経回路が自己調節の能力を取りもどすと、注意を集中できるようになり、学習の準備が整う。これには、脳の高度な機能である繊細な識別、言い換えると「差異化」が関係する。（機能不全状態の人のための脳の訓練や、リスニング・セラピーを基盤とする訓練の多くは、繊細な音の識別能力を徐々に向上させるトレーニングを含んでいる）

17 ロン・ミンソン医師の研究

ロン・ミンソン医師はトマティス医師の理論を拡げ、ディスレクシアだけではなく、「注意力」に関するサウンド・セラピーの働きをも研究するようになり、それについて重要なことを解明していった。

それまで多くの科学者は、「注意力」の働きを「高次の皮質機能」として捉えていた。つまり、「注意力」は、脳の一番外側の薄い層（皮質）で処理されると考えられていたのである。「目標を立てる、課題を行なう、抽象的な思考をする」といったことを実行するのは前頭葉の働きである。それらを実行するには「注意力」の維持が必要である。それで、脳の一番上に位置する前頭葉の働きが「注意力」には必要であると、長い間、考えられていた。

つまり、神経科学者たちは、注意力の欠如は前頭葉の不調によって引き起こされるという仮説を立てていた。この仮説の根拠は、脳画像研究にあった。

注意力を十分に備えた人に比べ、多動や注意欠如のある人は、前頭葉が小さいということが、脳画像に示されたことによる。

しかし、ロン・ミンソン医師は、「注意力欠如」は、前頭葉（皮質）ではなく皮質下に、その原因があることを示唆したのであった。(注65)

18 ロン・ミンソン医師の貢献

サウンド・セラピーによって引き起こされた信号は、直接前頭葉に届くわけではなく、入力された感覚刺激を処理する皮質下のさまざまな領域から前頭葉へと伝わる。

サウンド・セラピーは、図に示された全ての皮質下領域を刺激することで、注意力の問題を矯正する。前頭葉への刺激ではなく、皮質下への刺激で注意力が改善されるのである。「注意

力」は前頭葉の問題ではなく、皮質下の問題であるということをロン医師は確信した。(注66)

○語句の説明

integrated Listening system（ｉＬｓ）とは：「フランスから戻ってきたロン・ミンソン医師は、抗うつ剤や、注意欠陥障害の治療に使われているリタリンなどの刺激剤の投与をやめ、代わりにサウンド・セラピーを実施することにした。仲間の協力を得て、トマティス医師の装置をベルトに装着できるほどに小さくした。これにより、運動、平行感覚、視覚の訓練をリスニングに統合し、患者に複数の感覚系からの入力を処理させて脳をさらに刺激し、鍛錬できるようになった。彼らはこのプログラムを、統合リスニングシステム［ｉＬｓ］と命名した」。(注67)

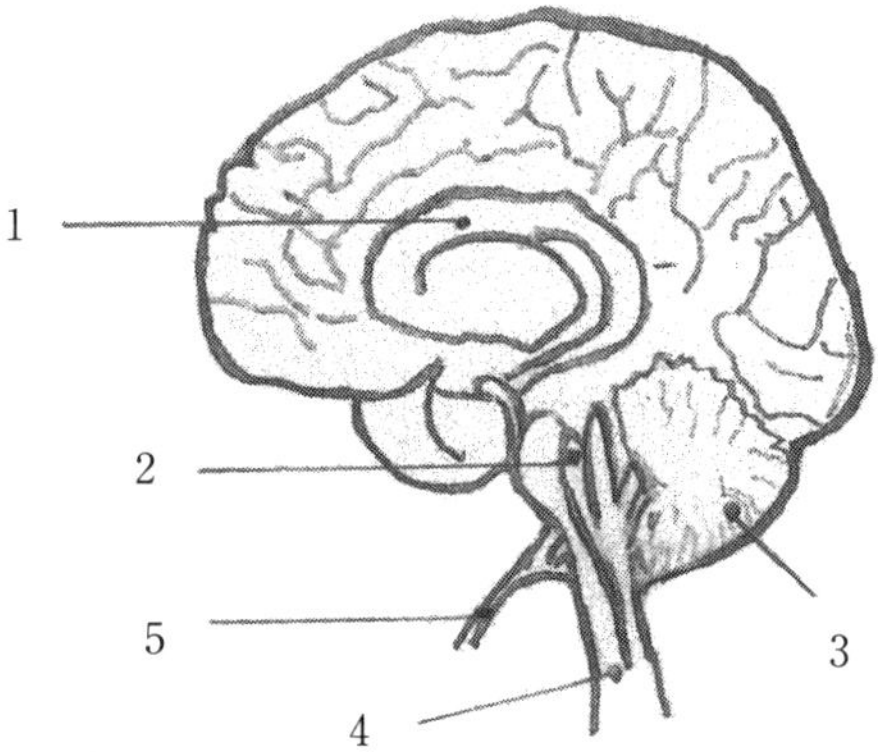

図７　皮質下の構造を示す脳の断面図

1　大脳基底核
2　網様体賦活系
3　小脳
4　脊髄
5　迷走神経

『脳はいかに治癒をもたらすか』、p.511 参照

19　大脳基底核の働き

何かをしようとするとき、その目的と関係がないことは行なわないように、脳を抑制するところが大脳基底核である。それで、注意力が保たれる。

ある1つのことに集中するためには、別のことに注意を向けようとする衝動を押さえなければならない。大脳基底核の活動が低下すると、よく確かめずに事を運び、多動や散漫な動きをすることになる。ADHDと診断される人の大脳基底核は、通常より小さいことが実証されている。(注68)

最近の研究による脳画像では、ADHDを抱える人は、小脳(思考、運動、バランス維持のタイミングを調整する)の体積が低下していることを示している。小脳の体積はADHDが悪化すると、さらに縮小するが、改善すると増大する。

トマティス医師のリスニング・セラピーとiLs(統合リスニングシステム)は、小脳と、それに結びついた前庭系に大きな影響を与える。iLsによる平衡感覚の鍛錬は小脳をさらに刺激する。

サウンド・セラピーの音楽は、報酬を処理する脳領域（何かを達成したときに快感情を生む）と、注意を払うことに関与する島皮質の結合を活性化して強化する。

この事実は２００５年に、神経科学者のヴィノッド・メノンとダニエル・レヴィティンの画像研究によって発見されている。[注69]

大脳基底核は、大脳辺縁系の内側にあり、視床を取り囲むように位置している。情報を受け継ぎ、伝達を行なう神経の集まりが、大脳基底核である。大脳皮質と視床はネットワークでつながっている。（視床は、身体から入ってきた感覚情報を大脳皮質に中継するところである。）

大脳基底核の構成部位は、線条体（尾状核と被殻）、淡蒼球、視床下核、黒質などである。線条体は、大脳基底核の入力部にあり、大脳皮質（前頭葉や頭頂葉）からの電気信号の入力を受け、中継する役割をし、淡蒼球は、線条体から受けた信号を視床に出力する。視床は大脳皮質に信号を返す。

（電気信号入力）……大脳皮質→線条体→淡蒼級→視床→大脳皮質

この神経回路は、運動を学習する機能を持つと考えられている。大脳皮質からの指令に基づいて正しい動きができたとき、報酬として、黒質からドーパミンが放出される。これにより、

洗練された動作ができるようになる。[注70]

20 耳と迷走神経

耳と迷走神経の間には、直接的な結合が存在する。ロン・ミンソン（精神科医）とアンドリア・ポインター（神経病理学者）は、サウンド・セラピーは、外耳道と鼓膜につながる感覚性迷走神経を刺激するという。

迷走神経には、神経科学者のポージェスが「賢い迷走神経」と呼ぶ側面がある。「賢い迷走神経」は、注意の集中や、コミュニケーションや、学習の準備を可能にする。正しいサウンド・セラピーによって、迷走神経を刺激すると、それを受けた人は、落ち着いて集中した状態に入ることができる。

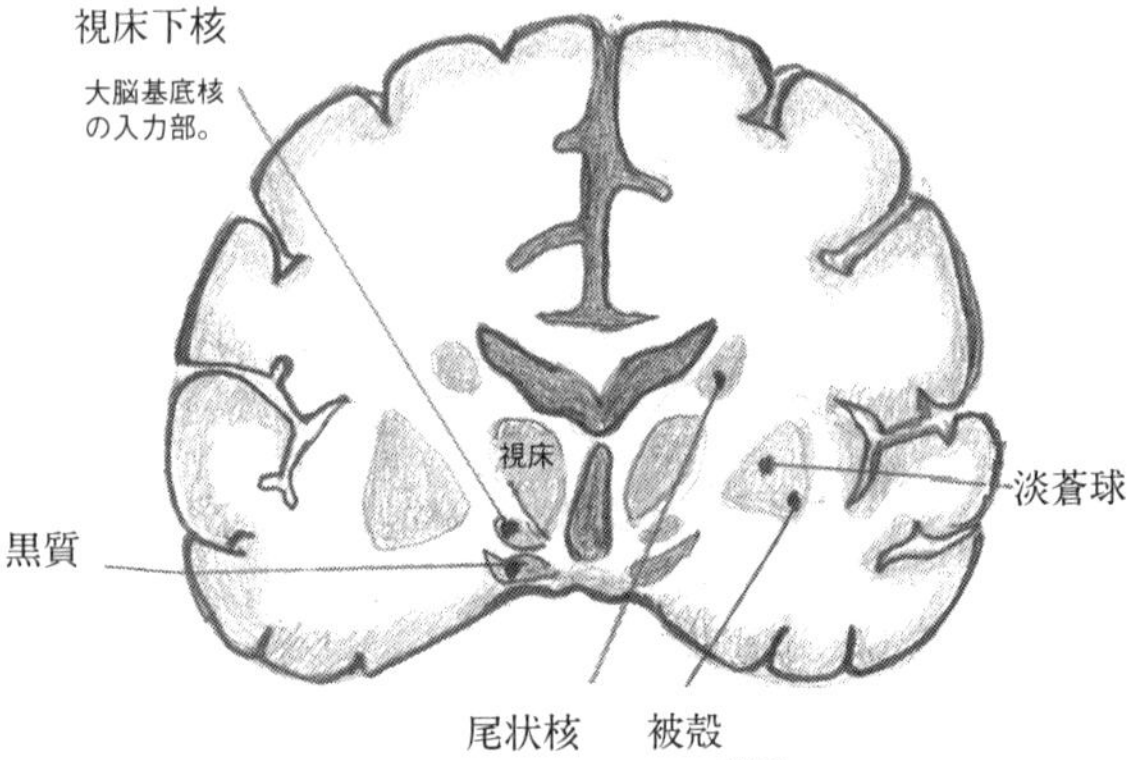

図8　大脳基底核の構造図[注71]

視床、視床下核、黒質（線条体にドーパミンを送る）、淡蒼球、尾状核と被殻（線条体）

それによって、副交感神経系が活性化され、人々を落ち着かせる。迷走神経は、注意欠陥やその他の問題をもつ子どもには、重要な神経である。

○語句の説明

迷走神経：延髄のオリーブ後方から起こり、頚静脈孔を通って頸部・胸部・腹部にまで広く分布する神経。運動・知覚・副交感神経線維を含む混合神経で、喉頭諸筋の運動や咽頭・喉頭の知覚、気管支・食道・心臓・胃・腸などの運動・分泌を支配する神経である。↓第10脳神経。(注72)

副交感神経：ポージェスが示したように、副交感神経系は、社会参加システムと中耳の筋肉をオンにし、相手の話に聞き入り、コミュニケーションをとって、他者とつながりが持てるようにする。副交感神経系が他者とのつながりの形成に役立つ理由は、人間の音声の高周波数帯域に波長を合わせるのに用いられる中耳の筋肉をコントロールし、声や顔の表現のために使われる筋肉を活性化するからである。(注73)

21　網様体賦活系

音楽は、網様体賦活系の領域を刺激する。その領域の神経細胞（ニューロン）は互いに短く結びついている。この系は脳幹にあり、あらゆる感覚刺激を受け取って、覚醒や注意の度合いを調節する。網様体賦活系は、皮質に向けて電源スイッチを入れる役割を果たす。皮質下の脳領域は、耳から最初に信号を受け取り、それを皮質に送る。

ロン医師は、「皮質下に機能の低下した組織が存在すると、皮質のあらゆる資源を動員して、その組織の機能を代行しなければならない。我々が行なっているのは皮質下を対象にすることで、脳の組織をボトムアップで改善することなのです。」と、述べている。(注74)

22　ジョーダン君（自閉症）へのサウンド・セラピー

ドクター・ドイジは、自閉症の子どもたちにも、サウンド・セラピーの効果があることを紹介している。

自閉症の子どもを持つ親の会で、親の一人、ダーレンさんが「ポール・マドール主宰のリスニング・センター」のことを話題にしようとしたが、多くの親たちはそのこと取り上げなかった。けれど、ダーレンさんはリスニング・セラピーについて、強い関心を抱いていた。

その息子（ジョーダン）は聞くことも話すこともせず、多くの自閉症の子どもと同様、音に極度に敏感だった。何とかしなければとダーレンさんは苦悶した。

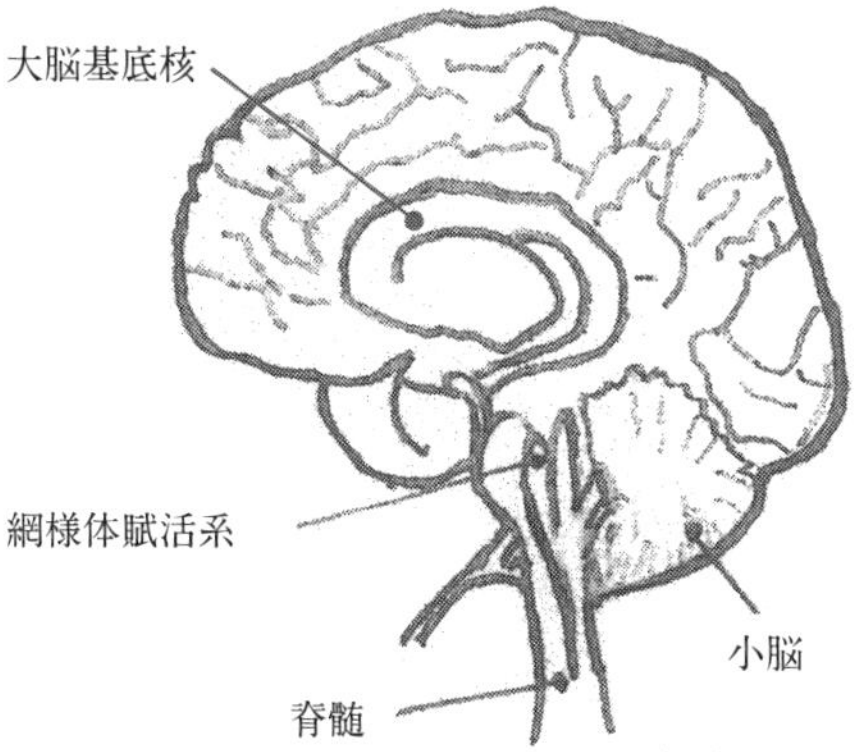

図９　皮質下の網様体賦活系脳領域[注75]

網様体賦活系
（皮質のエネルギーレベルと状態の調節）（覚醒度のコントロール）
『脳はいかに治癒をもたらすか』、p.511 参照

ジョーダンくんが3歳になったころ、ダーレンさんは息子に、ポール・マドール・リスニング・センターの治療を受けさせることを決意した。

ポール主宰は、ジョーダンくんを診て、彼がまともに話せないと判断した。確かに言葉らしきものをいくつか発したが、それらは、ただのノイズとして使われており、誰かとコミュニケーションをとろうとする意図は、見られなかった。ポール主宰は、ジョーダンくんにサウンド・セラピーを実施することにした。

セラピーは功を奏し、母親の声を使ったリスニング・セラピーが終わるころになると、彼は話すことを始め、正常に振る舞うことができるようになった。それから数年にわたり、半年ごとに状態は向上していった。

やがて友人ができ、普通の学校に入り、優秀な成績で高校を卒業し、大学に入学した。卒業後、ジョーダンくんは、物流関係の会社に就職して、商品の輸出入を担当し、世界中の人々と取引をしているという。

ジョーダンくんは16歳のころ、次のような詩を書いている。

「医師は僕が自閉症だといった……心を殻の中に閉じ込めるようなものだと……彼らは治療の手段はないと言った……ぼくを精神病院に閉じ込める以外は」

そして、ドクター・ドイジは次のように彼を描写する。

「彼は精神病院に閉じ込められるのではなく、自閉症と診断されながら、人生が変わるほどの劇的な改善を経験した子どもの一人になった。彼の場合には治癒という言葉がぴたりと当てはまる」と。

ポール主宰は、自閉症の子ども全てに、サウンド・セラピーが有効だとは主張していないが、リスニング・セラピーによって恩恵が受けられるはずだという。(注76)

ポール主宰がサウンド・セラピーを行った自閉症患者のほとんどが、大幅な改善を見せているということを無視することはできない。

［Ⅳ］ ディスレクシアと知らずに育つ

1　ディスレクシアと闘う

ジェームス・バウアー氏の *The Runaway Learning Machine: Growing Up Dyslexic* というタイトルの書物がある。これは、自身がディスレクシアであるとは知らずに育った、本人の自叙伝である。筆者はこれを（「手に負えない一斉授業」または、「一斉授業からの逃避」）と意訳した。

ジェームス・バウアー氏は、小1から技術学校卒業まで、読めない、書けないといったディスレクシア状態に苦しんだ。

例えば、小1の時、黒板に書かれた（cat, dog, book, boy, girl）といった単語が読めず、教師に「こんな単語も読めないの？」と叱られ、汗と涙で身体がびっしょりになるまで立たされて、自分は既に小学1年生で、落ちこぼれていたと回顧する。

高校を卒業後、技術学校にいくのだが、テキストに書かれてある文章は、螺旋が絡み合っているようにしか見えなかった。もがきながらも必死で勉強をして、やっとの思いで卒業することが出来た。

しかし、文章をうまく書けず、志望動機を書く段階で何度も躓き、ミネソタ州の田舎に就職できたときは、既に卒業後、数年が経っていた。

ある年のクリスマス休暇に故郷に戻ったとき、その兄が「読み書き綴り」を治療するというウイルソン・アンダーソン先生のことを教えてくれた。

早速、個人教授を受けるのだが、既に25歳を過ぎていた。「治療を受けるには、自分が年を取り過ぎていないか」と聞くと、アンダーソン先生は、「年は関係ない、何歳でも治療可能である」と言った。

治療後、バウアー氏は、見事に「読み、書き、綴り」が「できる」ようになるのであるが、その箇所を読んでいて、筆者は、なぜ、その治療法が書かれていないのだろうと思った。

これが、治療者のアンダーソン先生自身の著述ではなく、治療された側、ジェームス・バウアー氏の自叙伝ということもあるが、アンダーソン先生が開発した治療法は、誰にでも実施できる方法ではないのかもしれないと、思ったりした。（それがマルチセンソリ・アプローチであったことは、後で知った。）

バウアー氏は言語の「できなさ」が治療された後、イギリスに留学し、「ＬＤとセルフコンセプト（自己概念）」というテーマで研究を続けていたという情報までは知っていた。

2　バウアー氏からの手紙

バウアー氏が「神経可塑性」をどのように捉えているか、アンダーソン先生がいかにして、ディスレクシア（バウアー氏の場合、読み書きの機能不全が中心）を機能するように変えたのかを知りたいと思い、バウアー氏の著書の最後のページにあった住所に宛てて、（20年以上も前の出版物である。住所変更もありうると思いつつ）手紙を出した。1ヶ月後に返信があって、次のことが書かれていた。

1）アンダーソン先生は、オートン・ギリンガム・アプローチ（Orton-Gillingham approach）で、バウアー氏のディスレクシアの訓練を行なったという。それは読み、書き、綴りのマルチセンソリ・アプローチ（複数の感覚器官を使っての治療）であった。これは「神経細胞を柔軟に変える手法である（つまり、神経可塑性が起きる）」と、バウアー氏は手紙で応えている。

2）バウアー氏はアンダーソン先生の訓練を受けた後、大学院に入り、MA（修士課程）を終えて、OT（作業療法）の資格を取得して勤務した。その際、自身のセラピストとしてのアプローチに「神経可塑性」を採用して、クライアントは好ましいセラピー効果を得ていたという。

3）今は退職をしている。しかしながら、今もなお、ディスレクシアの人々を支持する活動を続けている。

4）最近は、ミネソタ州の立法府に対し、ディスレクシア基金を増やすための活動に関わっているという。

5）著書 *The Runaway Learning Machine: Growing up Dyslexic* は脚本化され、ミネソタ州で2回、東ロンドンで1回上演された。上演の目的は、ディスレクシアについて世に知らせることと、ディスレクシアの人々に生きる力を与えるためである。

6）この脚本に関心のある組織や劇場関係者が（日本に）いらっしゃったら、その方に、自分（バウアー氏）の情報を伝えて欲しい。

（演劇関係者の方で *The Runaway Larning Machine: Growing Up Dyslexic* の脚本に関心がある方は、筆者にご連絡ください。）

今なお、ディスレクシアに関する研究を続けているバウアー氏も、神経可塑性という概念が念頭にあることを、この手紙で知った。

3　複数の感覚器官を使った指導

以前に、メリーランド州にある国際ディスレクシア協会から取り寄せて、学習した出版物に改めて目を通した。その中に*Multisensory Structured Language Approach*（複数の感覚器官で構成された言語アプローチ）という一冊があった。

この教育法は半世紀以上も前から、ディスレクシアの子どもたちに実施されている。そのテクニックは、サミュエル・オートンとアン・ギリンガムの研究／業績に基づいて考案されたものである。

マルチセンソリ・アプローチは、サリバン女史がヘレン・ケラーに実施した教育法である。ヘレン・ケラーは視覚、聴覚を失った人で、ディスレクシアの人ではない。その教育にあたったサリバン先生は、「見えない、聞こえない、話せない」ヘレン・ケラーに、直接、具体物に触れさせて、皮膚感覚で世の中の事象を教えていった。この教育が、偉人、ヘレン・ケラーを生んだ。

国際ディスレクシア協会の前身であるオートン・ソサエティーの設立者サミュエル・オート

ン博士は、サリバン女史の教育法を参考にして、視覚・聴覚・触覚・筋肉運動感覚等、複数の感覚器官を使って学ぶ、という指導方法を開発した。

文字を学ぶとき、書かれた文字を見る（視覚）だけでなく、その発音を聞いて（聴覚）、文字の形を指でなぞる（触覚）といった、複数の感覚器官を同時に使って学ぶことの効果は大きいと評価されている。

オートン博士は神経学者で、ギリンガム博士は心理学者であり、教育学者である。ギリンガム博士は英言語の優れた指導者で、オートン教育法で使われる英語の音声と構造を組織化した学者である。

また、ギリンガム博士の仲間でマスター教師のベシー・スティルマン氏は、アルファベット学習の手引きを1936年に刊行している。彼らの方法論は今日、オートン・ギリンガム・アプローチとして知られている。

この複数の感覚器官を使った学習は、神経可塑性を包摂すると、バウアー氏は返信の中で応えている。

「この年での訓練は、遅くないか」とバウアー青年が聞いたとき、ウイルソン先生は、「年齢には関係ない」と応えているが、まさに、神経可塑性の訓練と同じである。学習で神経細胞が変化することは、年齢には関係ないのである。

そして、変化したその細胞の状態は、永久に続く。20代のとき、マルチセンソリ・アプローチで、ディスレクシアの治療を受けたバウアー氏は、定年後もなお、活躍を続けている。

[V] 学習機能不全への教育手段

1　学習機能不全への対応――4つの方法

ドクター・ノーマン・ドイジの著書を通して、神経可塑性を掲げて、機能不全状態を治癒する2つの方法を学んだ。さらに、ジェームス・バウアー氏の著書から、神経可塑性の概念を包摂しているマルチセンソリ・アプローチを復習し、サンディ・エツライン夫人の提案するリピティッションを見直した。

以上の4つの手段が、現段階で筆者が知っている神経可塑性を起こすアプローチである。それらについて、すぐに、実践可能かどうか鑑みた。

神経可塑性によってLDを治癒するという論理は理解したが、「どのようにして?」ということが、次の大きなテーマとなる。

（1）認知機能に焦点を当てる場合：

1つ目は、アロースミス・プログラムのように、認知機能に焦点を当てて神経可塑性を目指す方法である。

（ａ）アロースミス・プログラムに習う。
（ｂ）個人または組織で、神経可塑性の科学的実証を行なって、実施する。
（ｃ）直観的に、または、熟慮して考えた刺激課題を実践する。

説明：

（ａ）について：

科学的に立証された課題で練習をするならば、神経細胞に変化が起きることは確約できる。そこで、既に科学的に実践しているアロースミス・プログラムを教示していただきたいと思って、バーバラさんにその旨を書いたお便りを出した。しばらくして、アロースミス・スクールの上司の方からお返事をいただいた。そこには次のようなことが書かれていた。

「アロースミス・プログラムのカリキュラムは、その組織の傘下にある教育現場にしか公開はしていない」という内容であった。その傘下に入るには、すでに10人前後の生徒を持ち、さまざまな設備が設定できる空間（教室等）を持って、教育活動を行なっているところが、プログラムの一組織になれるということであった。

それは2019年のことで、筆者は、大学で教えていたので、その条件には叶っていなかった。現在も、その条件は満たされていない。そこで、既に、生徒と空間（教室）を持ち、LD教育を行なっている方や組織が、契約をして、アロースミス・プログラムの傘下に入り、そのプログラムのアセスメント手段や練習課題を実施するという案（筆者の考え）がある。

（b）について：

脳画像を視る機器の準備が整う組織や個人（または、神経科学の機関と連携がとれる組織や個人）が、刺激課題を考え、神経可塑性が生じるかどうかを明らかにして実践する。

（c）について：

試行錯誤的なので、時間はかかるが、直観的に、または熟慮して考えた刺激課題を実行する。できるようになるまで練習をしなければならない。バーバラさんのアナログ時計の読み訓練に習って、刺激課題を考える。

Cの挑戦は、個人で、すぐにでも実行可能と思われる。

（2）リスニング・セラピーに焦点を当てる場合：

2つ目は、アルフレッド・トマティス博士の治療の手段、リスニング・セラピーである。

その実施には、聴覚検査機、ヘッドフォン（電子耳）やマイク等の準備、周波数診断機器等の設備が必要となる。さらに実施する人材の育成が最重要である。

ドクター・ドイジが紹介している修道僧たちは、高周波のグレゴリア聖歌を歌わなくなり、高周波音が耳に入らなくなって、病人のように沈み込んでいたが、トマティス医師のセラピーを受け、聖歌の合唱を再開してから、みるみるうちに元気を取り戻したという事例。

さらに、ポール・マドールさんが、トマティス博士にリスニング・セラピーを受けて、重度なディスレクシア状態を治癒することができた事例。

これらは、耳からの刺激で活力を得て、神経可塑性を起こしている事例である。わずか2例だが無視できない。

トマティス博士は、既に、1960年代に神経可塑性について論じている。博士が完全な形で準備をしたトマティス・メソッドは、耳からの刺激で、神経可塑性を起こす優れた方法である。

トマティス博士の「耳は脳のバッテリー」という発見は、人類への貴重な贈り物であると思う。このことが、なぜ、もっと活用されないのであろうか。

（3）繰り返し練習に焦点を当てる場合：

3つ目は、科学的ではないが、直観や洞察によって考えた課題の実践と、繰り返しの練習法である。それは、「バーバラさんの時計読み練習」や「エツライン夫人の繰り返し学習」が示す方法である。

リピティッション（繰り返し）の学習で、「できない」ことが「できる」ようになることは、脳の神経細胞（ニューロン）が変化していると捉える。

脳画像等で神経可塑性の実証をしなくても、「できない」ことが「できる」ようになれば、（しかも永久に）、神経可塑性があったと捉えてよい。「できる」まで訓練することが指標である。

（4）マルチセンソリ・アプローチに焦点を当てる場合：

4つ目は、神経可塑性の概念を内包するマルチセンソリ・アプローチである。英語学の専門家が研究した英語の構造と発音システム等が、教授法に組み込まれた言語指導である。

日本語のディスレクシア状態に対して、マルチセンソリ・アプローチを実施する場合、日本語の構造や発音システム等に特化した教則本を作成することから始める必要がある。実現するには手間のかかる方法であると考える。

2　英語のマルチセンソリ・アプローチの例

視覚、聴覚、触覚を同時に使うマルチセンソリ・アプローチのテキストは、ディスレクシアの研究者、オートン博士とギリンガム博士が考案したものである。

筆者は10数年前に、ディスレクシア協会のロサンジェルス支部を訪問したことがある。そこでは、マルチセンソリ・アプローチによる言語指導が行なわれていた。

そのとき、「ラビット単語」と呼ばれている単語の発音の練習が行なわれていた。それは、母音と子音、同じ子音と母音が連なっている単語の発音練習であった。小学校で習う単語の読みに困難を持つ人が、英語圏にはよくある。

1つの単語に同じアルファベットが連続すると、読めなくなることもある。それで、rabbitの読み方は、bとbの間に縦線を引き、はじめのb音は発音するが次のb音は発音しないので斜線で消す。aとiにアクセントがつくことをチェック印で示す。

聞いて（聴覚）、見て（視覚）、唇の動き、口の開き方、舌の動き等を確かめて（触覚）、複数の感覚器官を利用して学んでいく。

英語の読みの難しさも、ディスレクシアの要因になっているのだろう、等と考えながら、複数の器官を使って学んでいく様子を見学した。

さらに、モデル教師の発音を聞いて、スペルを書き続ける。例えば、trumにpetを続けて「trumpet」を綴っていき、テキストで確かめるなど、聴覚、筋肉運動、視覚の複数の感覚を使って学んでいた。

3　即、実施の可能性

すぐに実践可能な手段は、「アナログ時計読み」のようなバーバラさんの方法や、エッツライン夫人の提示するリピティッションである。

直観や熟慮は科学的ではないと批判する人が現れるかもしれないが、バーバラさんやエッツライン夫人の（1970年代）叡智が、「的を射ていた」こと、結果が証明していたという事実がある。

さらに、エリック・カンデルの「学習が神経細胞（ニューロン）の変化を起こす」という実験結果がある。脳画像等で変化を確認しなくても、「できないことができるようになったとき」

神経可塑性が起きていると捉えてよい。

来る日も来る日も「できなさ」への訓練を続ける。少し前の時代にやっていた文章の暗記や、一漢字の形を考えながら書けるようになるまで書く、内容を読み取れるまで読むといった訓練は、神経可塑性につながると考える。

アナログ時計が読めるようになるまで練習を止めないバーバラさんの努力や、「繰り返しが脳に跡をつける」というエツライン夫人の確信は、機能不全な神経細胞（ニューロン）を機能するものへと変えたのである。

そのようにして「できた」という結果は、「神経可塑性が起きた」ということである。「できない」ことが「できる」ようになることが、結果としてあればよい。

これは、全国の公立学校で、今すぐに実行可能である。試行錯誤的であるが、学習機能不全を治すために、真剣に取り組む教師と生徒と教室さえあればよい。

[Ⅵ] 教育実践の実例と推進

1　ドクター・ノーマン・ドイジが紹介するバーバラさんの状況

バーバラさんが大学院生のとき、カリフォルニア大学バークレイ校の研究者であった、ローゼンツウェイグのラットの実験に関する論文を読んだ。それは、ラットを「刺激のある環境」と「刺激のない環境」で育てるとどうなるかという研究であった。

ラットの死後、脳を解剖すると、前者は後者よりも神経伝達物質を多く持ち、重量があり、血液の量が多いということが分かった。

ローゼンツウェイグは環境によって脳の構造に変化が生じることを証明していた。脳の構造は変えられるという実証に、バーバラさんは衝撃を受けた。

ルリヤの理論（脳外結合）とローゼンツウェイグの証明（脳構造の変化）は、自身の状態も変えることが出来るということを教示している。

自身の最も弱い機能は、記号を互いに関連付けることである。その訓練として、「アナログ時計の読み」を考えた。訓練の結果どうなるかは、やってみるまでは分からなかったが、実行した。

「部屋にこもりきり、疲れ果てるまで自分を訓練した。何週間もわずかな睡眠を取るだけで、自分で考案した刺激課題の訓練を繰り返した」という。

「時計読み課題」について既に簡単に紹介したが、少し詳しくここに記す。

バーバラさんは、時計の絵を描いた何百枚ものカードを準備した。カードの裏面には、正しい時刻を友人が記してくれた。カードをシャッフルしてめくり、出たカードの時刻を読む。正解不正解を確認して、次のカードをめくる。

不正解の場合、実際の時計の針を動かし、短針のある位置について、なぜ、その位置にあるのかを考える。例えば、5時15分の場合、なぜ、短い針は5と6の間の4分の1の位置にあるのかを理解しようとする。〝1時間は60分でその4分の1は15分である〟というような思考を巡らしたと思われる。毎日毎日集中して訓練を積むうちに、アナログ時計が読めるようになっていった。

時計が読めるようになっただけではなく、記号に関する他の「できなさ」も「できる」ようになった。そして、バーバラさんは、文法や算数の論理も分かるようになっていった。一番の収穫は、他の人が何を言っているのか、その場で分かるようになったことであるという。

バーバラさんは、数多くあった他の「できなさ」の訓練も行い、空間認識も視野の狭さも平均のレベルになっていった。(注77)

ルリヤには、「ある特定の心理機能は、ある特定の部位に局在するのではなく、いくつかの脳の部位が集まってネットワークを作り、システムとして機能している」という理論がある。既に述べたが、外部環境からの刺激（時計読みの練習）によって、時計が読めるようになったときの神経細胞の変化（神経可塑性）は、ネットワーク・システム上の他の部位にも及んだのである。

ある「できなさ」への訓練で、同じネットワーク上にある他の「できない」こともできるようになる。バーバラさんは、ネットワーク・システムを教えてくれたルリヤに感謝して、認知訓練の課題をさらに創っていくと決意している。

2　バーバラさんの教育実践（C少年のケース）

バーバラさんが、脳を訓練する方法を開発しようと決意した1970年代は、脳のスキャン等が簡単にできる時代ではなかった。それで、脳のどの部分がどの機能を処理するのかは、ルリヤの理論を参考にした。

当時、脳が可塑的であるという考えを持つ人はほとんどいなかった。脳が筋肉と同じように鍛錬できるものとは、考えられなかった。そんな時代に、バーバラさんは、機能不全な脳の領域を訓練する教育活動を始めた。

さて、少年（C君）の例であるが、C君は、言葉よりも考えが先に進んでしまうので、適切な言葉が見つけられず、まとまりのない文章で話すことが多かった。授業で質問をされると、答えは分かっているのに、口にするまでに時間がかかり、実際の能力よりも低く評価されてしまい、自信をなくしていた。

考えていることを書くとき、脳は言葉（記号）を指や手の運動に変換するので、話すことが苦手なC君は、滑らかに字を書くことも苦手だった。テストでは正しい答えが分かっていても書くのが遅くて、時間内に全部は書き切れなかった。

記号を運動に変換する処理能力が弱く、流れるように手を動かせず、筆記体ではなく、活字体で書くことを好んだ。活字体の場合、一文字ずつ書いていくので、脳にそれほど負担がかからない。

このようなC君は読むことにも問題を抱えていた。読み方は遅く、言葉を1つ抜かしたり、質問文をまるごと飛ばしたりした。

学校を開設したバーバラさんは、C君に複雑な線をなぞらせる訓練を取り入れた。運動前野という部位のニューロンを刺激するためであった。

なぞる訓練は、子どもの「話す、書く、読む」の3つの分野、全てを向上させることがバーバラさんには分かっていた。

さまざまな訓練を経ると、C君は、卒業までに実際の学年よりも上級のレベルの文章を読めるようになっていた。長い文章で話し、スピードも速くなり、書くことも上達したと紹介されている。(注78)

3 ルリヤの研究を生かした訓練法

1. 複雑な線をなぞらせる。前頁にも述べているが、これは、運動前野という部位のニューロンを刺激するためである。なぞる訓練は、子どもの「話す、書く、読む」の3つの分野を向上させる。(注79)

2. 筆記体の練習。ブロック体で書くことは、少しずつペンを動かして、一文字ずつ書いていくので、脳に負担がかからないが、筆記体の場合、いくつかの文字を一気に書くので、脳は、より複雑な運動を処理せねばならない。

3. 左目または右目にパッチをつける。

ペンを持ち、細いくねくねした線をたどったり、文字をなぞったりする訓練。右目または左目に強い視覚刺激が入り、弱い方の脳が鍛えられる。

4. ウルドゥー語とペルシャ語の文字の勉強。普段直面しない文字、見慣れない形を素早く覚える訓練。

4 アロースミス・スクールの訓練例

1、弱い聴覚記憶を鍛えるために、CDを聞いて詩を暗記する訓練。

2、顔の表情、ジェスチャーといった非言語的な表現を読めないため、対人関係がうまくいかない生徒のための訓練。

3、衝動的な生徒のための訓練。

4、計画を立てることに問題のある生徒のための訓練。

5、類似な物を区別できない生徒のための訓練。

6、目標を立てて覚えておくことができない生徒のための訓練。

(2~6の具体的な課題は、参考文献には明記されていない。これらの刺激課題を考える際に、バーバラさんが指摘するような、神経学と教育学のかけ橋が求められる。）

5　訓練を受けた結果

アロースミス・プログラムで、神経可塑性を目標にして訓練を受けた卒業生（D）さんは、自分について語っている。「13歳でアロースミス・スクールに入学したとき、算数と読み方の能力は小学校3年生のレベルだった。タフツ大学で受けた神経心理学検査では、小学3年以上の進歩はないと診断されていた。そして、アロースミス・スクール以外に10校もの学校に通ったが効果はなかった。しかし、アロースミス・プログラムを3年間受けて、読み方と算数が10年生のレベルまで上がった。その後大学を卒業して、今は、企業で働いている」と。

別の生徒（E）さんは、16歳でアロースミス・スクールに入学してきた。そのとき、小学1年生の読みレベルであったのが、14ヶ月後には、7年生レベルまでに向上した。

また、ブローカ野の発音機能が弱いため、法廷でうまく話せなかった弁護士（F）さんに、ブローカ野を中心にした訓練を終えると、法廷で十分に活躍できるようになったという事例が紹介されている。(注80)

6　ドクター・ノーマン・ドイジの提言

ドクター・ドイジは、ＬＤ（学習機能不全／不調）の教育について、さまざまに重要な提言をしている。

「神経可塑性の訓練は、あらゆる人の役に立つ可能性を秘めている。」

「脳の訓練全般を考えると、教育にどう取り組むのが良いか、分かってくるだろう。」

「生徒の脳のどの機能が弱いかを判断し、それを強化するプログラムを与えれば、たくさんの子どもたちが能力を伸ばせるはずだ。」

「教科の内容を何度も個別指導するよりも、機能不全をなくせば、得るものはずっと多い。」

「鎖の弱い部分が補強されれば、これまで、それが足を引っ張って伸びなかった能力まで、発揮できるようになる。(注81)」

ドクター・ドイジの提言を生かして、ＬＤ教育の改革がなされることが望まれる。

「バーバラは、根源的な問題をなおせることを証明した。脳の訓練プログラムはどれも効果を

あげている」と、ドクター・ドイジはアロースミス・プログラムを評価している。(注82)

［Ⅶ］認知機能と神経可塑性

1　アロースミス・プログラムの19の認知機能

The Woman Who Changed Her Brain に書かれてある、アロースミス・プログラムの「認知機能1から19」ついて、以下のようにまとめてみた。(注83)

脳領域の図は、*The Woman Who Changed Her Brain* のAPPENDIX3の図を参考にした。

「認知機能1」

「Motor Symbol Sequencing（モータ・シンボル・シークェンシング／筋肉運動・記号の配列）」

「ブロードマン・エリア6」（前運動野領域）

脳の左半球の前運動野の中心にあるこの機能は、アルファベットや数字の列など、連続する知識の処理に関わる機能である。

ここが機能不全であると、目（視覚）を通してのインプット処理と、手（書く）、口（話す）を通してアウトプットする処理が、さまざまな度合いで機能しにくくなる。

並んだ文字をきちんと追えないので、読み間違いをしたり、話しにとりとめがなく、聞く人は理解できず、話について行けなくなったりする。

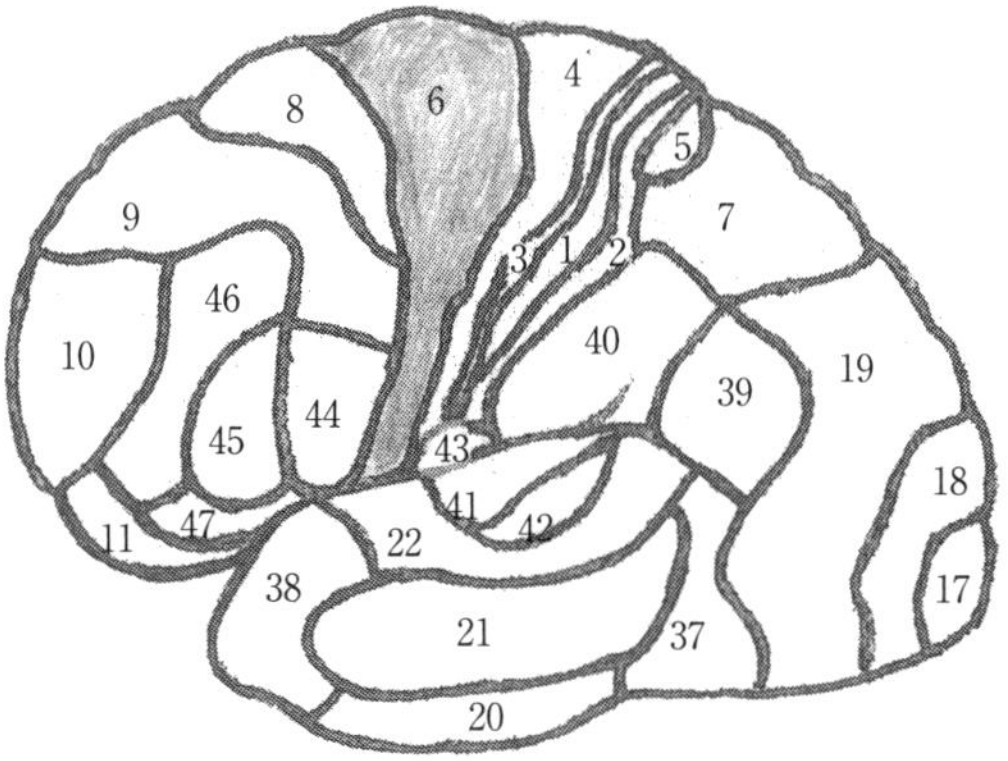

図10　脳領域の図「認知機能1」

「認知機能2」

「Symbol Relations（シンボル・リレイションズ／記号の関係性）」

「ブロードマン・エリア39」（「角回」頭頂と後頭と側頭領域の接続点）

関係性を担う「角回」は、脳の左半球にある後頭葉と頭頂葉と側頭葉の交差するところにある。

ここは、2つかそれ以上の考えや概念間の関係性を理解する領域である。ここに機能不全があると、物事の関係性が理解できにくくなる。

例えば、長針と短針の関係が理解できず、アナログ時計の読み方に苦労し、百分率や分数等における、2数間の関

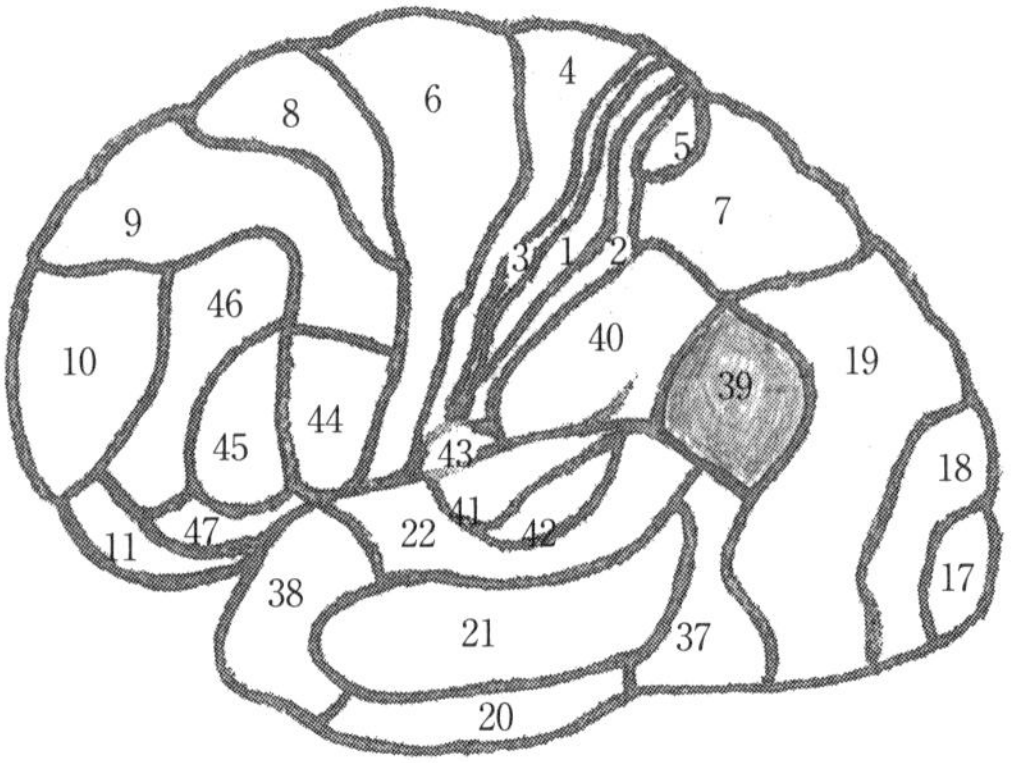

図 11　脳領域の図「認知機能 2」

係性を推測することも困難となる。

また、数学の手順を学ぶことはできるが、なぜそうなるのかがわからない。（数学的推論の困難、論理的推論の難しさ）

原因結果の関係については、なぜ、その出来事が起きるのか原因を理解することに苦労する。

with, without, in, out といった前置詞は、物事の関係性を示す用語であるが、その意味を繰り返し教えられても、教材を何度読んでも、理解できない。

関係性以外にも、bをd、pをqと書くような、文字の逆転が起きることがある。これは、成長に従い発展的に解消することもある。その場合は、ディスレクシアではなく成長の未熟により起きていると言える。

その他に、この領域の機能不全には、「読解の難しさ、文字の読み取り困難」等がある。

「アナログ時計が読めない」状態は、この角回の機能不全が原因であり、バーバラさんの学習困難な状態は、ブロードマン・エリア39における機能不全であったことが分かる。

「アナログ時計が読めるようになるまで読む」という厳しい訓練によって、脳の左半球にある後頭葉と頭頂葉と側頭葉の交差点の中心部に刺激を与え、神経可塑性が起き（細胞に変化が起き）、ネットワークが機能して、さまざまな機能不全が解消されたと捉えることができる。

「認知機能3」

「Memory for Information or Instruction（メモリー・フォー・インフォメーション・オア・インストラクション／情報や習ったことの記憶）」

アロースミス・プログラムにおける「認知機能3」は、脳の左、特に、側頭葉領域が担う。ここが機能不全であると、情報のひとまとまりを覚えることに苦労する。講義や会話、あるいは指導についていくには相当な努力が必要で、講義の聞き取りや長引く会話等、リスニングによる一般的な情報取得が困難になる。

「認知機能4」

「Predicative Speech（プレディカティブ・スピーチ／叙述的な話、順序よく述べること）」

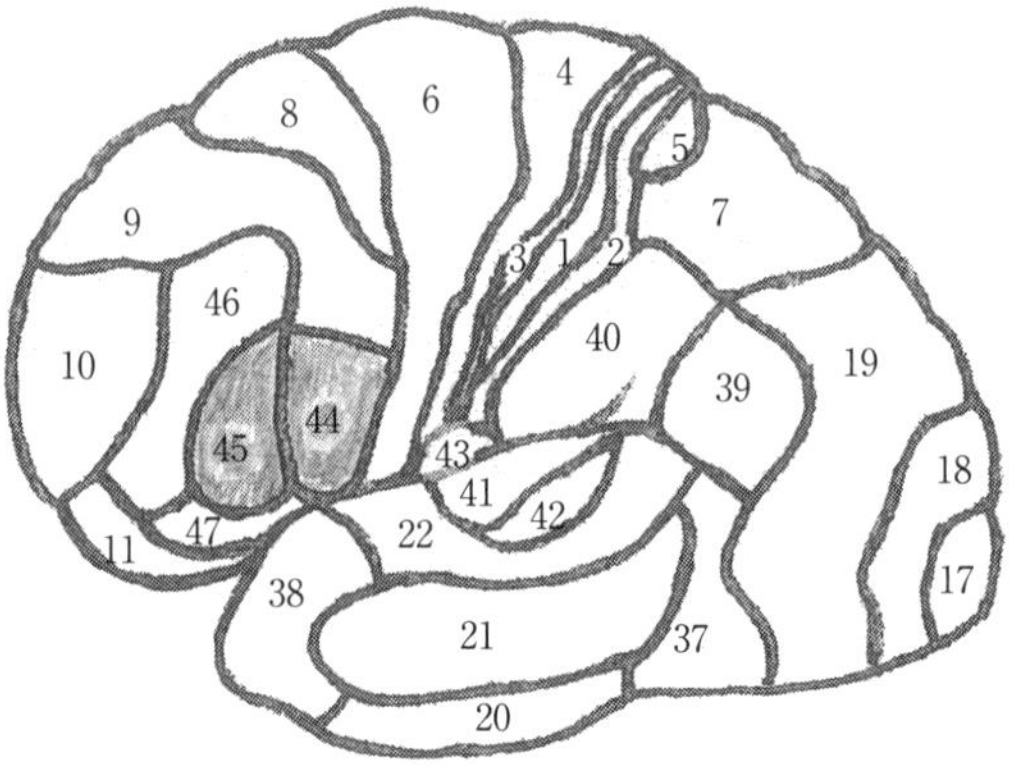

図12　脳領域の図「認知機能5」

アロースミス・プログラムにおける「認知機能4」は、神経学的なプロセス示す。ここの機能不全によって、文章構造の決まりを学ぶことが難しくなり、簡単な短い文章で話したり書いたりすることになる。内言（心の中で言葉を言う）で繰り返すことも困難である。話は不完全で、順序は乱れる。

　また、自分の言葉が、話し相手にいやな感じをあたえることに気づかず、余計なことを言ってしまうこともある。これを言うとその人は傷つくかもしれない、というようなことは思いつかないし、考えもしない。この機能不全は、話し、書き、内言、すべてに影響する。

「認知機能5」

「Broca's Speech Pronunciation（ブローカズ・スピーチ・プロナウンシエイション／ブローカ発音）」

「ブロードマン・エリア45、44」（左半球における前頭葉領域・運動性言語中枢）

アロースミス・プログラムにおける「認知機能5」は、脳の左半球における前頭葉領域（ブローカ野）の機能である。ここに弱さがあると、言葉を発音することがうまくできなくなる。この部位の名前は、19世紀初頭、フランスの解剖学者ピエール・ポール・ブローカが名付けた。

言葉は理解していても、発音の仕方がわからず、その言葉の使用を避けようとする。

一般的にも、話しながら同時に考えることが苦手な人もいるが、特に、ブローカ発音の人たちは、話しながら思考することが苦手で、原稿を見ながら発表することを好む。話し方にリズムと音調と起伏がなく、一本調子でもぐもぐ言い、リズムとイントネーションも欠いて、平板な話し方になる。

この機能不全は、外国語を学ぶ際にも影響する。彼らは、不確実な発音のため、言葉を使わないようにしがちである。

「認知機能6」

「Auditory Speech Discrimination（オーディトリー・スピーチ・ディスクリミネイション／聴覚言語識別）」

「ブロードマン・エリア22」（左半球、上位側頭領域）

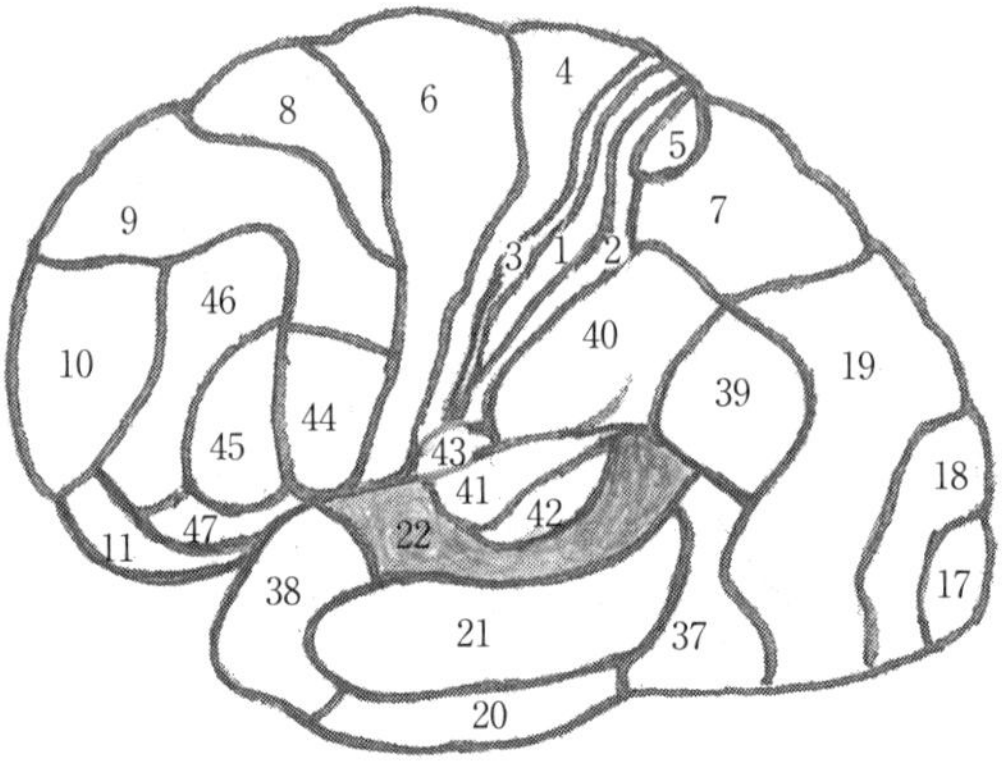

図13　脳領域の図「認知機能6」

アロースミス・プログラムにおける「認知機能6」は、話し言葉の聞き取り能力で、似ている話音（dear/hear、doom/tomb等）間の識別能力である。

この機能は、脳の左半球における上位側頭領域にある。ここの機能不全は、聞き取りに難があり、話し手に繰り返して言うことを求めがちで、言葉を聞き間違え、情報を誤解することもある。

「認知機能7」

「Symbolic Thinking（シンボリック・シンキング／象徴的思考）」

「ブロードマン・エリア8、9、10、11、44、45、46、47」（左前頭葉皮質）

アロースミス・プログラム「認知機能7」は、脳の左側、特に前頭葉の皮質が関与している。精神の直観を働かせる機能である。ここが機能不全であると、学習計画を進展させることが、非常に困難となる。

学習計画を示されたら、従うことができるかもしれないが、自身で立案・開発することは難しい。組織化する、計画する、自己に指令を出す、長期のゴールを定めるといったことは容易でない。結果として、瞬間のためだけに生きる傾向となる。

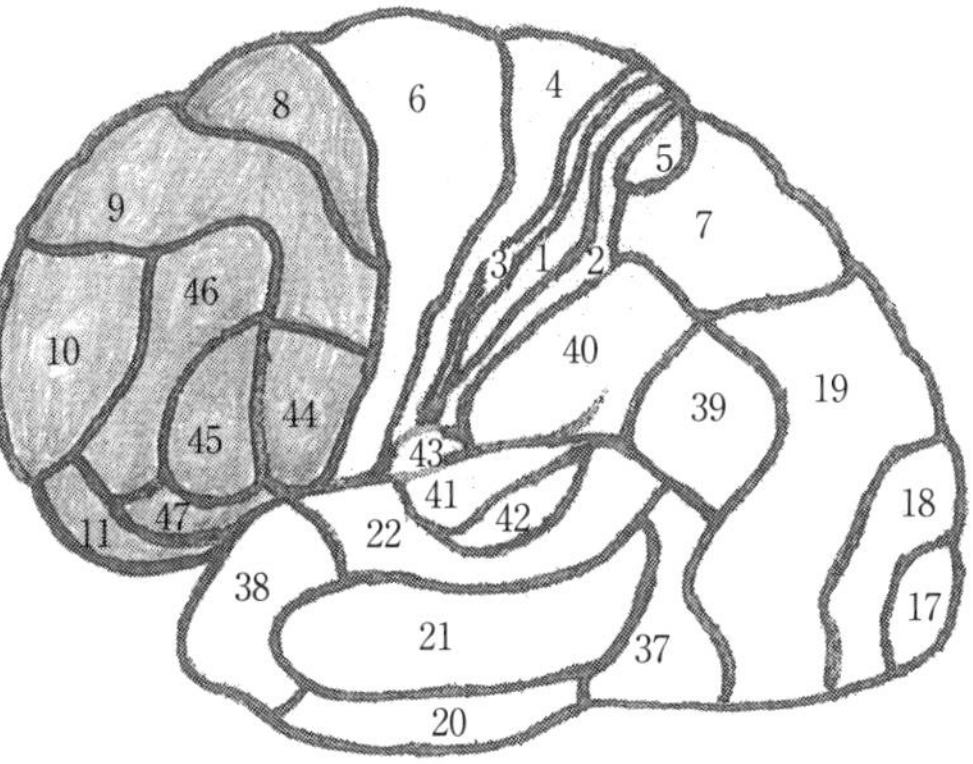

図 14　脳領域の図「認知機能 7」

「認知機能8」

「Symbolic Recognition（シンボル・レコグニション／記号の認識）」

「ブロードマン・エリア37、18、19」（左半球、後頭葉―側頭葉領域）

アロースミス・プログラム「認知機能8」を掌る領域は左半球にあり、単語や記号を認識したり記憶したりする領野である。後頭葉・側頭葉がその領域である。

この領域が機能不全であると、1つの単語を覚えることに多くの時間を必要とする。単語を何度繰り返して練習してもなかなか身につかない。何度同じ単語を示されても、

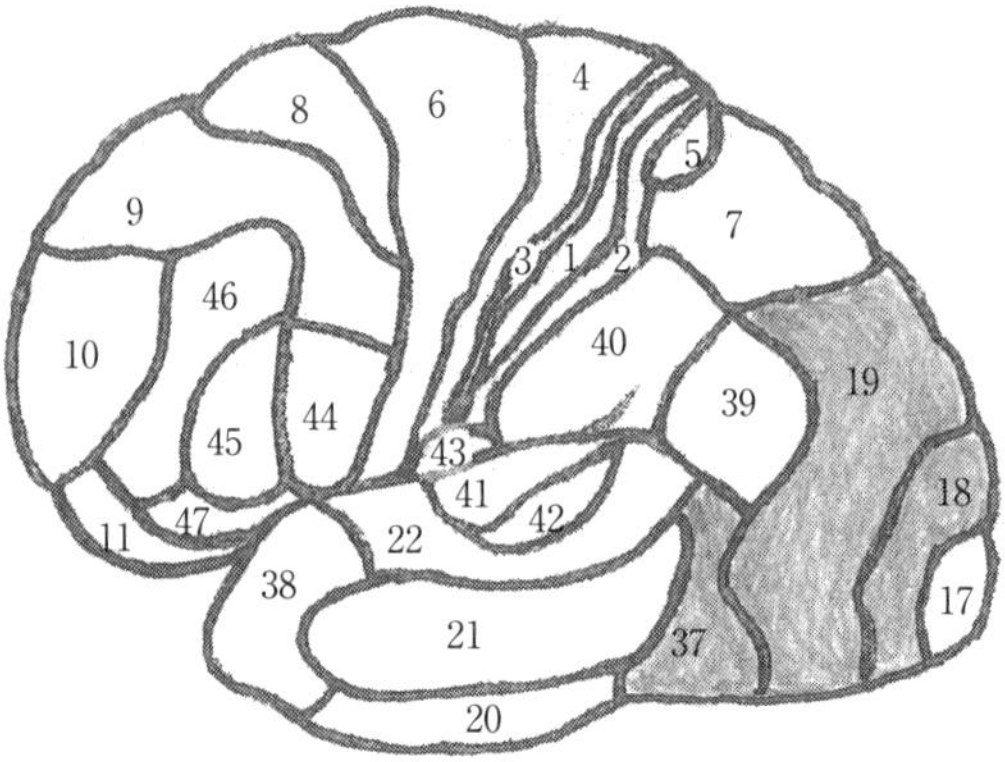

図15　脳領域の図「認知機能8」

初めて見たかのようで、読みと綴りの学習は遅々として進まなくなる。

「認知機能9」

「Lexical Memory（レキシカル・メモリー／語彙の記憶）」

アロースミス・プログラムにおける「認知機能9」は、脳の左半球における側頭葉領域が含まれる。

この機能は、語彙の記憶、言葉を覚える能力に関係する。この領域が機能不全であると、物の名前、曜日、色、人々の名前を覚えることに苦労をする。

「認知機能10」

「Kinesthetic Perception（カイネスティック・パーセプション／筋肉運動知覚）」

「ブロードマン・エリア3、2、1、4（頭頂葉にある体細胞感覚領域）」

アロースミス・プログラムの「認知機能10」は、空間における、体の左側か右側、あるいは左右両サイドを知覚する能力である。この機能は、頭頂葉にある体細胞感覚領域が関係し、機能不調が起きている側が、ものにぶつかったりする。車の運転や電動機械の使用は危険である。この領域がうまく機能しないと非常に不器用なことになる。文字を書くとき、手に不均衡な圧力がかかり、線をなぞることができなかったり、書き文字が曲がったりする。

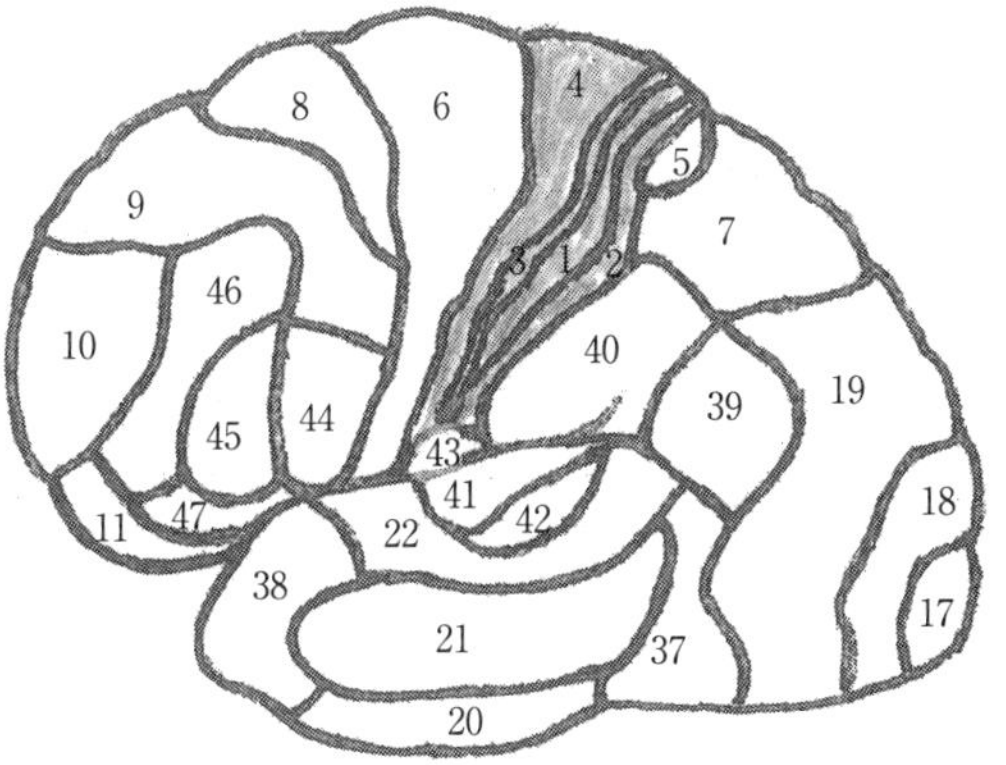

図16　脳領域の図「認知機能10」

バーバラさんもポールさんも物にぶつかるという、「アロースミス・プログラムの認知機能10」における、体細胞感覚領域の機能不全であったことが分かる。

「認知機能11」

「Kinesthetic Speech（カイネスティック・スピーチ／筋肉運動発言）」

アロースミス・プログラムの「認知機能11」は、脳の左右どちらかの半球、あるいは両半球が巻き込まれる。

機能不全は、唇と舌の位置感覚がとれず、不明瞭な発音となって現れる。

(truly rural)あるいは(Three free throws)のような巻き舌を速く繰り返すことがうまくできないことになる。

「認知機能12」

「Artifactual Thinking(アーティファクチュアル・シンキング/人為的・人工的な思考)」

「ブロードマン・エリア8、9、10、11、44、45、46、47」

(脳の右側、特に前頭葉の皮質が関係する。)

アロースミス・プログラムにおける「認知機能12」は、脳の右前頭葉皮質の機能であることが明確である。

この領域が機能不全な場合、顔の表情やボディ・ランゲッジのような非言語合図と情報を解釈できない。職場の上司や学校の教師、友だち、その他、関係する人々が発する非言語的情報を読むことが難しい。それで、いつも適切な行為ができず、それを自ら正すこともできない。他人を理解す

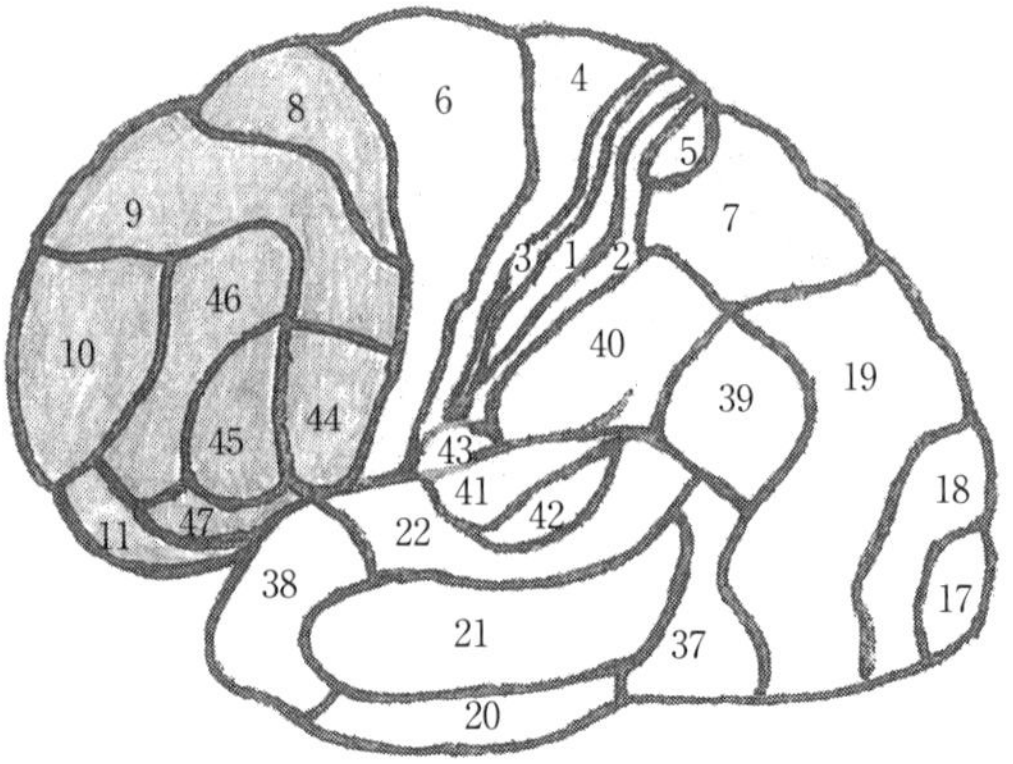

図17　脳領域の図「認知機能12」

ることが難しく、自分自身をも理解しがたい状況になる。

「認知機能13」

「Narrow Visual Span（ナロー・ビジュアル・スパン／狭い視空間）」

アロースミス・プログラムの「認知機能13」は、後頭葉が関係する。左右の後頭葉領域の能力は、人が固定したものを一瞥で視る機能である。

ここに機能不全が起きると、記号や物を視る範囲が制限される。つまり、「狭い視野スパン」となり、固定した文献を一度見ただけでは、全体を見ることができないことになる。書かれたものを読むために普通の3倍から10倍の注視をせねばならないので、目の疲れが大きく、読み方はスローとなる。

「認知機能14」

「Objective Recognition（オブジェクティブ・レコグニッション／物の認知）」

「ブロードマン・エリア37、18、19」（右半球領域のネットワーク）

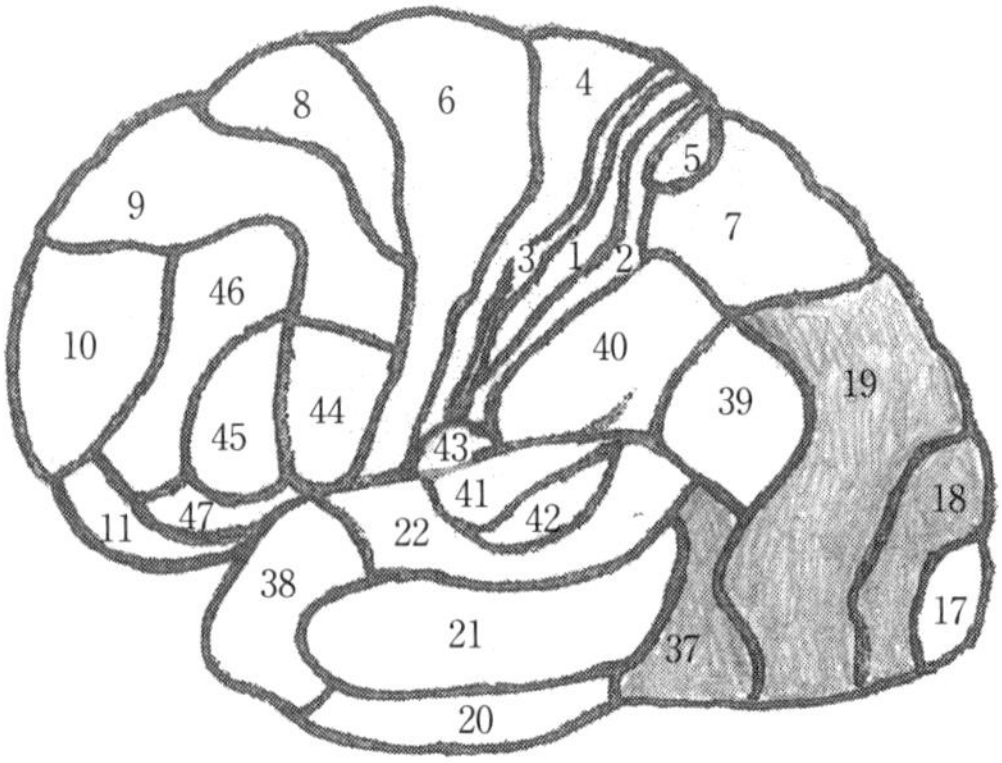

図 18　脳領域の図「認知機能 14」

アロースミス・プログラムの「認知機能14」は、目に見える物の詳細を認識したり覚えたりするための能力である。右半球領域のネットワーク内に中心がある。ここが機能不全な場合、「お店で買いたい物、冷蔵庫の中の必要なもの、道路上の目印」等の認識が、すぐにはできない。

人の顔を認識したり覚えたりすることにも苦労し、対人関係上、問題が起きたりする。

「認知機能15」

「Spatial Reasoning（スペイシャル・リーズニング／空間推理）」

アロースミス・プログラムの「認知機能15」は、脳の右頭頂葉領域（the right area of the brain）にある。この機能が弱いと、物がどこにあるのか、物と位置の空間地図を想像することができない。頭の中に地図を描くことができず、幾何学的図形の構築にも苦労する。

「認知機能16」

「Mechanical Reasoning（メカニカル・リーズニング／機械的推論）」

アロースミス・プログラムの「認知機能16」は、右半球に中心がある。

この機能は機械的なことを操作する能力である。この領域の機能不調では、機械の操作や、各部分がどのように相互作用するのかを想像することが難しくなる。また、工具を効果的に扱うことにも苦労をする。

物体の機械的特性を理解するのが困難で、自転車を分解して組み立てたり、車を修理したりするなどの機械の構築や修理をすることが困難である。

「認知機能17」

「Abstract Reasoning（アブストラクト・リーズニング／抽象的推論）」

アロースミス・プログラムの「認知機能17」は、右半球の問題（a right hemisphere issue）である。この領域の機能不全では、抽象的推論が問題となる。

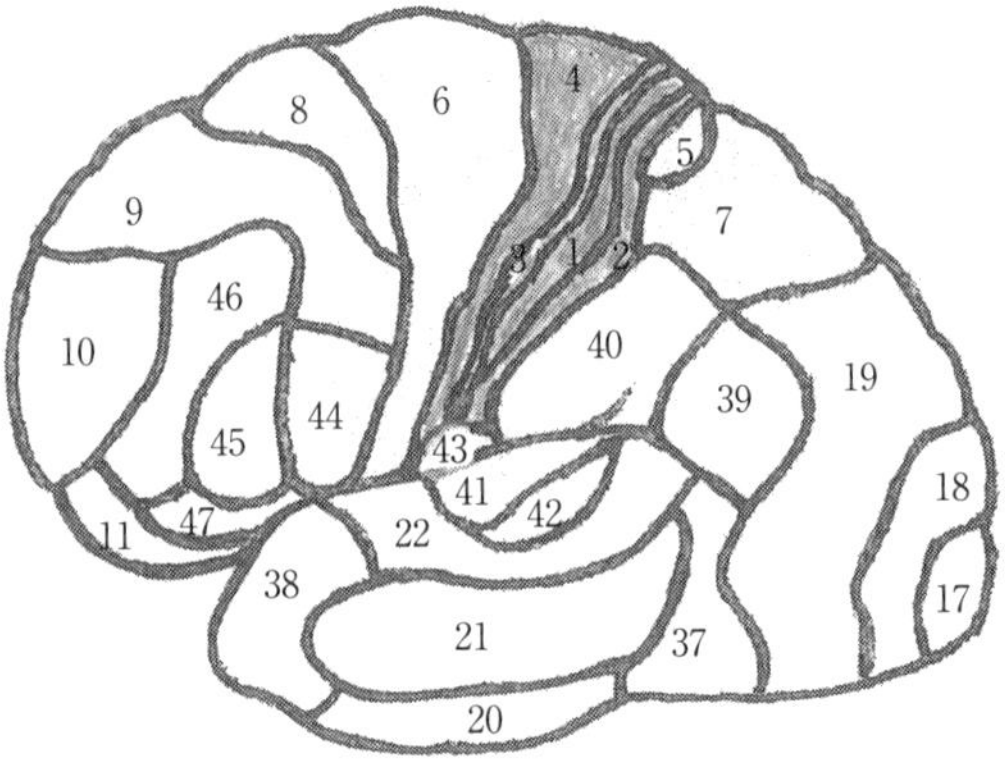

図 19　脳領域の図「認知機能 18」

「認知機能18」

「Primary Motor（プライマリー・モーター／主要な筋肉運動）」

「ブロードマン・エリア3、2、1、4」（前頭葉皮質後部）

アロースミス・プログラムの「認知機能18」は、前頭葉皮質の後部の脳領域が影響している。この機能は、速さ、強さなど、筋肉運動のコントロールに干渉する。この領域が機能不調なとき、ぎこちなく、あいまいな身体の動きとなる。

「認知機能19」

「Supplementary Motor/Quantification」（サプルメンタリー・モーター・クォンティフィケイション／補遺として、運動筋肉／定量化、数量化）

「ブロードマン・エリア7、39、6」（頭頂葉にある領域）

この機能は、分量や数の理解に関係する頭頂葉の領域が中心となる。この領域の機能不調は数学の「できなさ」である。数えること、加減乗除の学習はすべて困難となる。

この機能がうまく働かないと、「指を折って数を数え、頭の中に数字を保持できず、数学の問題が解けず、予算作成が難しく、時間管理ができない」といった状態になる。

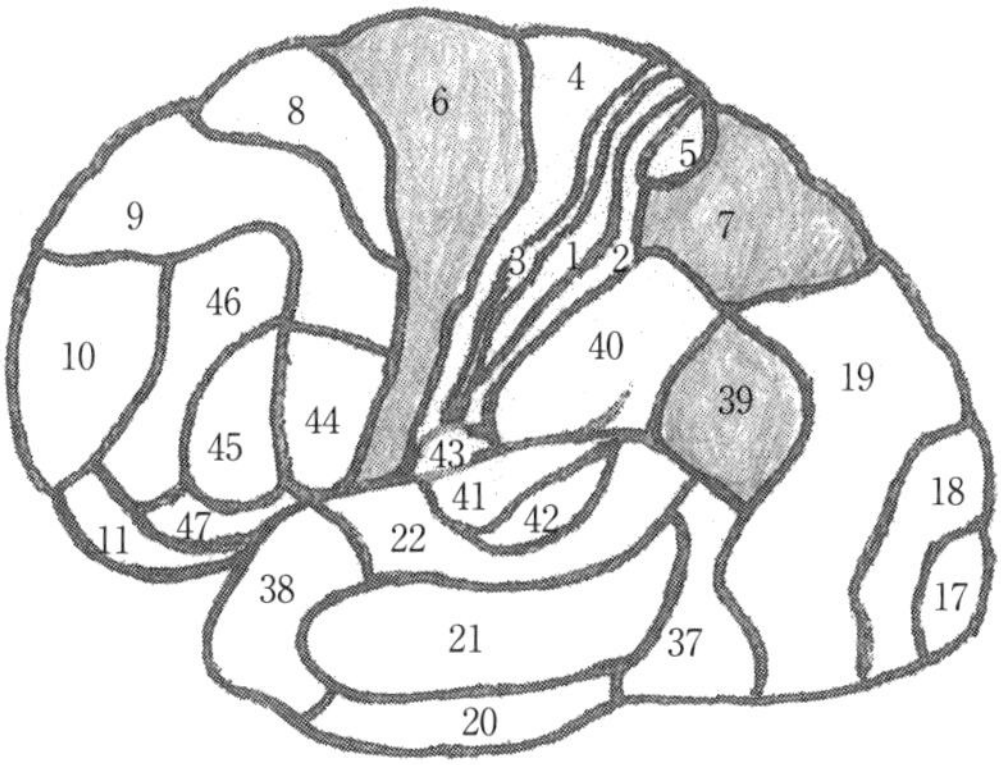

図20　脳領域の図「認知機能19」

アロースミス・スクールでは、入学してきた生徒の1から19の認知機能について、詳細なアセスメントを行なう。その結果、機能不調な領域があれば、神経可塑性を目標に、刺激課題が実行される。

2　そのとき、発する言葉（注84）

「認知機能」1から19までの「できなさ」に直面して、生徒たちがしばしば発する言葉をアロースミス・プログラムのスタッフが紹介している。我々の普段の生活の中でよく耳にする言葉である。

（1）モーター・シンボル・シークェンシング（Motor Symbol Sequencing）

手書きのつたなさで、板書がうまくできず、教師に、「あの黒板をまだ消さないでください。（Please don't erase blackboard yet.）」といったお願いをしがちである。

（2）シンボル・リレイションズ（Symbol Relations）

数学の問題解き、関係性（百分率、分数等）、原因結果の理解等に難しさがあり、「私はそのことを理解できない。（I just don't get it.）」とよく言う。

（3）情報の記憶（Memory for Information or Instructions）

一般的な会話や講演会などで話を聞いても、すぐに忘れる。

「ふるいにかけたように記憶が抜けていく。（I have a memory like a sieve.）」

（4）話の順序（Predicative Speech）

主語がなかったり、順序が正しくなかったりして、不完全な話し言葉になる。

「私の話は、いつも正しい順序になっていない。(My words don't always come out in the right order.)」

(5) ブローカ発音 (Broca's Speech Pronunciation)
間違った発音をするので言葉を使わないようにしがちである。リズムとイントネーションがなく平板に話す。考えながら話すことも難しい。

「人々は、私がブツブツつぶやくと言う。(People say I mumble.)」

(6) 聴覚音声識別 (Auditory Speech Discrimination)
人が発する言葉を聞き取ることが難しく、聞き間違いや情報の誤解等が起きる。話を聞くために、余計な努力が必要である。

「申し訳ない、もう一度お願いします。(I'm sorry, could you repeat that?)」

(7) 象徴的な思考 (Symbolic Thinking)
学習計画を立てたり、学習内容を組織的にしたり、自己管理をしたりして、実行することがうまくできない。目標達成まで、考える、重要な点をチェックする、注意を保つ、といったことに「できなさ」がある。

「計画立案は私の得意とするものではない。（Planning was never my strong suit.）」

（8）記号の認識（Symbol Recognition）

スペルを学ぶことの難しさ、言葉を認識する力の弱さ、読み取りの遅さ、数式や方程式の覚えにくさ、等がある。

「私は優れた読み手ではなかった。（I was never a great reader.）」

（9）語彙の記憶（Lexical Memory）

これは言葉を覚える能力である。物、場所、色、曜日などの名前を覚えることに困難がある。

「私は物の名前を覚えることがうまくない。（I'm not good at remembering the name of things.）」

（10）筋肉運動知覚（Kinesthetic Perception）

物体に対する空間の位置が捕らえにくく、ぎこちない身体の動きになり、物によくぶつかる。書くときは、手指に圧力がかかり不均衡な文字になる。

「私はとても不器用である。（I am such a klutz.）」

（11）筋肉運動感覚スピーチ（Kinesthetic Speech）

明確な発音ができない。

「私の発音は時々不明朗である。（I slur my words sometimes.）」

（12）非言語的思考（Artifactual Thinking）

人々のボディ・ランゲッジや顔の表情や声のトーンを理解できない。社会的スキルが弱く、人の感情に気づいたり、理解したりすることが難しい。

非言語的情報を解釈することが問題となる。

「私は人々の心を読むことがうまくない。（I'm just not good at reading people.）」

（13）視野の狭さ（Narrow Visual Spar.）

読む行を間違えたり、読み直しをしたりして、ギクシャクした本読みになる。読書で疲れてしまう。

「読むとき、目をいためる。（My eyes hurt when I read.）」

（14）物や人、環境の認識（Object Recognition）
「会ったことある？（Have we met?）」

（15）空間推論（Spatial Reasoning）
道に迷い目的地を見失う。作業場所は乱雑で片付かない。

「私はいつも道に迷っている。（I am forever getting lost.）」

（16）機械的な推理（Mechanical Reasoning）
機械の仕組みを理解することが難しく、例えば、自転車を分解して組み立てることなどがうまくできない。

「私は器用ではない。（I'm not handy.）」

（17）抽象的な推理（Abstract Reasoning）
縫製（洋服を創る）、調理の献立、コンピューター・プログラミングなどの段階的な連続作業をすることは、うまくできない。

「私は自分の人生の記録を残そうとしたが、VCRを構成できなかった。(I couldn't program the VCR to save my life.)」

(18) 基本的な運動 (Primary Motor)

筋肉の動きが不十分で、不器用となり、身体の動きが遅くなる。

「私の反応は少しスローである。(My reaction time is a bit slow.)」

(19) 補遺として、運動筋肉/数量化 (Supplementary Motor/Quantification)

ここに「できなさ」があると、指を折って数え、数を保持できず、数学の問題が解けず、数字を扱う予算作成などが困難となり、時間管理の難しさ等が起きる。それで、「私は数が得意ではない。(I'm not a numbers person.)」と言ったりする。

アロースミス・スクールでは、「Learning Difficulties (学習困難)」を実際の生活場面で、個人が発する言葉の中から掌握している。

3　刺激課題の実行

「できない」ことを「できる」までやる。バーバラさんが「アナログ時計」の読み訓練をしたことがモデルになる。

＊当人が「できていない（困難）」課題に対して訓練を開始する。

＊「できる」まで訓練を重ねる。

4　訓練（刺激）課題を考える

アロースミス・プログラムの19の認知機能のうち、ブロードマン・エリアが明記されている領野の機能不全に対応する訓練（刺激）課題を考えてみた。

ルリヤのネットワークという概念からすると、「1つのできなさ」に対応する刺激は、同じネットワーク上にある他の「できなさ」にも影響して、それらの「できない」ことも「できる」ようになるという理解をしている。

訓練問題は、一般の学校ですぐに実行できる課題である。

ブロードマン・エリアの「1野、2野、3野、4野」が機能不全であると、「物にぶつかる」、「線の上に書くべき文字が、線から外れる」等、といった生活や学習への不調が起きる。「1、2、3、4」領野におけるいくつかの「できなさ」のうちの1つに対応する刺激で、そこに神経可塑性が起きると、ネットワークでつながる他の領野の「できなさ」も改善されると理解している。

「1、2、3、4」領野を刺激する訓練課題：

〔線に沿って字が書けるようになるまで書く。〕

ブロードマン・エリアの「6野」における機能不全は、「読む、書く、話す」ことに関する不調である。「書き文字が下手、綴りが不規則、話しはまとまりがない」という状態で現れる。

「6」領野を刺激する訓練課題：

〔テキストにある文字のように、正確に書けるまで練習をする。〕

ブロードマン・エリアの「7野、6野、39野」の機能不調は、数学、計算の「できなさ」として現れる。ここが機能しないと、数学の手順や理論が分からず、物事の関係性や、因果関係が分からなくなる。また、逆転文字を書くこともある。

「7、6、39」領野を刺激する訓練課題：

〔加減乗除の計算練習、または、時計が読めない場合、バーバラさんに習い、「アナログ時計の読み訓練」をする。〕

ブロードマン・エリアの「8野、9野、10野、11野、44野、45野、46野は「眼窩前頭野」と呼ばれ、この領域が機能不調であると、学習計画を立てたり、物事を組織化したりすることが困難になる。

ここに「47野」の機能不調が加わると、非言語的な合図（表情や指図等）や入ってくる情報の解釈が困難で、適切な行動がとれなくなり、自他共の理解が難しくなる。

「8、9、10、11、44、45、46、47」領野を刺激する課題：

〔目標を立て、その目標達成までの学習計画を立てる。これらの作業が「できる」まで何度も行なう。非言語的合図の「できなさ」については、表情の読み取り訓練を行なう。〕

ブロードマン・エリアの「18野、19野、37野」は「視覚連合野」と呼ばれる。この領域の機能不調は、単語や記号を認識し記憶することが難しく、単語を何度見ても学べない。
「18、19、37」領野を刺激する課題：
〜単語を書いて、見て、覚えるまで練習する。〜

以下は、アロースミスの「認知機能1〜19」のどれかに機能不調があると感じる方が、刺激課題を考えて「できる」ようになるまで実践するコーナーです。

（1）「認知機能1、左半球、前運動野」の機能不調：
読み間違い、書き文字下手、誤写、とりとめないスピーチ、計算ミスがあり、作文が下手な人。

刺激課題例〜　〜

（2）「認知機能2、左半球、後頭葉、頭頂葉、側頭葉の交差点」の機能不調：
概念間の関係性を理解すること難しい、読解の難しさ、数学的・論理的推理の困難、文字の読み取り困難、関係性が理解できない、象徴（記号）関係、原因結果が理解できない、文字の逆転等がある人。

刺激課題例〜　〜

（3）「認知機能3、左半球の側頭葉領域」の機能不調：
情報のひとまとまりを覚えることに苦労する。長引く会話、情報取得に問題のある人。

刺激課題例（　　　　　　　　　　）

（4）「認知機能4、神経学的なプロセス」に劣勢がある機能不調：
文章構造の決まりを学ぶことができない、長い文章の読み書きが困難、順序正しく話せない状態の人。

刺激課題例（　　　　　　　　　　）

（5）「認知機能5、左半球前頭葉領域」の機能不調：
言葉は理解していても、発音の仕方がわからず、言葉の使用を避ける。話し方にリズムと音調と起伏がなく、一本調子でもぐもぐ言い、フラットな話し方をし、不確実な発音のため、話さない傾向にある。ブローカ発音の人。

刺激課題例（　　　　　　　　　　）

（6）「認知機能6、左半球上位側頭葉領域」の機能不調：

似た音の話音（dear/hear,doom/tomb）、日本語では（弁当／伝統、衝動／騒動）等を聞き分けることが困難な人。

刺激課題例〔　〕

（7）「認知機能7、脳の左側（特に前頭葉皮質）」の機能不調：

計画を立てることが困難。内容が示されると従うことができるが、自身で計画をすることができず、事柄の内容を組織化することが難しい人。

刺激課題例〔　〕

（8）「認知機能8、左半球、後頭葉・側頭葉領域」の機能不調：

単語や記号を認識したり記憶したりする領野。1つの単語の学習に多くの時間を必要とする。単語を繰り返して練習しても、習得しない人。

刺激課題例〔　〕

（9）「認知機能9、左半球、側頭葉領域」の機能不調：

物の名前、曜日、色、人の名前を覚えることに苦労し、語彙の記憶に困難がある人。

刺激課題例（　　）

(10)「認知機能10、頭頂葉にある体細胞感覚領域」の機能不調：
身体の左か右、あるいは左右両サイドを知覚する能力。機能不調が起きている側が、物にぶつかったりする。車の運転や電動機械の使用は危険。文字を書くとき、手に不均衡な圧力がかかり、線がなぞれないし、文字が曲がる。空間上の位置感覚がとれない。ぎこちない動き等をする人。

刺激課題例（　　）

(11)「認知機能11、左、右、あるいは両サイドの半球」の機能不調：
唇と舌の位置感覚がとれず、発音が不明瞭、truly rural, three free throws のような巻き舌を早く繰り返すことができない人。

刺激課題例（　　）

(12)「認知機能12、右側、特に前頭葉の皮質」の機能不調：
顔の表情や、ボディ・ランゲッジのような非言語合図を理解できず、シグナルを送った人に適切に答えることができない人。

〜刺激課題例〜

(13)「認知機能13、左右の後頭葉」の機能不調：
狭い視野範囲で、文献を一度では全てを視ることができない人。
〜刺激課題例〜

(14)「認知機能14、右半球のネットワーク内に中心がある」機能不調：
探す物、地域の目印、等の認識に迷う人。
〜刺激課題例〜

(15)「認知機能15、右頭頂葉領域」の機能不調：
物と位置の空間地図を頭の中に描くことができない人。
〜刺激課題例〜

(16)「認知機能16、右半球の中心」の機能不調：
機械の操作や各部分がどのように相互作用するのか、想像することが困難。工具を効果的に扱うことにも苦労する。物体の機械的特性を理解するのが困難で、自転車を分解して組み立てたり、車を修理するなどの機械の構築や修理が困難な人。

刺激課題例〔　　〕

(17)「認知機能17、右半球」の機能不調：

抽象的推論が困難である人。

刺激課題例〔　　〕

(18)「認知機能18　前頭葉皮質後部領域」の機能不調：

ぎこちない身体の動きの人。

刺激課題例〔　　〕

(19)「認知機能19　頭頂葉領域が中心」の機能不調：

数えること、加減乗除の学習が困難。頭の中に数字を維持できず、数学の問題が解けず、予算作成や時間管理が困難な人。

刺激課題例〔　　〕

180頁（5）、182頁（10）（11）（12）、183頁（13）（14）（15）（16）、184頁（17）（18）の刺激課題については、神経学の知見が必要だと考えます。もしも神経学者の方がこの書をお読みになられたら、刺激課題についてご指導ください。

5　神経の固定配線時代と神経可塑性時代とは、何が違うのか

既に述べたが、アロースミス・スクールの訓練として、次のことをドクター・ドイジは、紹介している。

「視覚記憶を鍛えるために、ウルドゥー語とペルシャ語の文字を勉強。これらは見慣れない文字で、見慣れない形を素早く覚える訓練になる。」

「左目にパッチをつけて、ペンを持ち、細いくねくねの線をたどったり、文字をなぞったりする。左目に眼帯をすることで、右目に強い視覚インプットが入り、弱い方（この場合、左側）の脳が鍛えられる。」

以上のような訓練は、機能不調の原因になっている脳領域に働きかけて、神経可塑性を目指す作業であることは明らかである。

しかし、教科の内容や知識を身につけることを目的とする日々の学習作業でも、「学習すると神経細胞（ニューロン）の構造が変わる」というカンデルの理論によると、できるまでやることによって神経可塑性は目指せるはずである。

それでは、固定配線時代と神経可塑性時代とでは、同じ学習作業で何が違うのであろうか。脳の神経配線が固定されていると考えられていたとき、学習をしても神経細胞（ニューロン）は変わらないのだから、「できない」人は、「できない」とされていた。

ＬＤは、器質的に変わらないので、何かが「できない」人は、何をやっても、生きている間、それは「できない」、という捉え方であった。したがって、学習への取り組みは、諦めと共にあったと思われる。

バーバラさんのように、自分の「できなさ」に必死な思いで取り組んで、自分を大きく変えた人は、稀にちがいない。

過去においては、「できなさ」にこだわらず、強い面に力を入れていく生き方をするようにと、筆者はＬＤのある人に伝えていた。「できない」ことは「できる」ようにはならないのだからと。

しかし、状況は変わったのである。学習すれば、神経細胞（ニューロン）は変化する（神経可塑性が起きる）ということが証明されたのである。

「できない」ことが「できる」ようになるまで取り組むことが、ＬＤを治癒へと導く。ＬＤ状態は訓練することで、機能するようになる。

訓練しても「できない」と捉えて諦めるのか、訓練すれば「できる」ようになると捉えて行動するのか、そこが神経の固定配線時代と神経可塑性時代の違いである。

6　まとめ

「神経可塑性によってＬＤ（学習機能不全／不調）は治癒可能」であるという情報を得たとき、神経科学が教育学の前面に躍り出たような感覚になった。

神経科学に精通していなければ、神経可塑性によってＬＤを治療することは不可能だと思った。

脳内に電極を埋めて、感情と行動の関係を調べた神経学者、ドクター・ロバート・ヒースのように、神経細胞（ニューロン）のことをつぶさに知って、神経科学的な方法で刺激課題を実行する、といった図が浮かんだ。そうでなければ、神経可塑性を目指して、機能不全に対応することはできないと思った。

自身の部屋に「Study for Neuroplasticity（神経可塑性研究室）」と張り紙をして、意気込んでいた。

しかし、ドクター・ドイジの著書を読んでいくうちに、あることに気づいた。神経細胞（ニューロン）に変化があることをｆＭＲＩ等で、科学的に証明する環境がなくても、神経可塑性を目指す課題の実施は可能であると。

我々は、２０００年度にノーベル賞を受賞した、エリック・カンデルの「学習することで脳の神経細胞が変化する」という研究成果を知っている。

そのカンデルの理論に従うと、学習後、「できない」ことが「できる」ようになることは、機能不全であった神経細胞（ニューロン）が変化して、ネットワーク・システムが機能したということになる。つまり、神経可塑性が起きていると捉えることができる。

脳画像を通して細胞の変化を証明せずとも、「できなかった」ことが、ある刺激によって「できる」ようになればＬＤは治癒されている。

したがって、神経可塑性の研究ではなく、神経可塑性につながる刺激課題の研究「The Study of Stimulating Assignment for Neuroplasticity」と、部屋の張り紙を変えた。

サンディ・エツライン夫人が考えたリピティッション（繰り返し）という学習の方法がある。

１９７０年代初期に、エツライン夫人は、神経可塑性という概念で語ってはいないけれど、スキーヤーが滑ってそりの跡がつくように、リピティッションは、脳に学びの跡をつける、つまり、知識を習得した脳に変わるということを述べている。

スキーヤーがつけたそりの跡のように、脳に残る学習の痕跡とは、正に、神経細胞（ニューロン）に変化が起きていると捉えることができる。

エッツライン夫人の繰り返し練習で「できる」ようになったことや、バーバラさんの時計読み訓練が成功したことは、神経細胞（ニューロン）が変化したと理解してよい。

徐々に難易度を増す訓練をすることによって、生徒の脳を強化し鍛えるべきだとされた過去における教え方にも、神経可塑性の概念が内包されている。

何度も何度も本を読ませ、長い文章の丸暗記をさせ、文字もしっかりと、何度も書かせ、学習の運動能力を強化して、筆記力の上達を目指し、読み書きのスピードや、流暢さも鍛えていた。これらの学習は、神経細胞（ニューロン）に変化をもたらしていた。

昨今、難解なクイズ番組をよく見かけるが、それらの問題を作る人にも、答える人にも、思考中、神経細胞に可塑性が起きていることが推測できる。

過去に使われていた教授法や、難易度が高いクイズの問題は、神経細胞（ニューロン）に可塑性をもたらす刺激課題を考えるとき、大いに参考になる。

神経細胞が変化しているかどうかを見る設備がなくても、刺激課題の実行で、「できない」

ることができるようになったとき、そして、それが永久に続くとき、神経可塑性は起きていると捉えてよい。

バーバラさんが、直観で実行した「アナログ時計の読み訓練」を、誰も非難することはできないばかりか、叡智ある優れた実践であった。

バーバラさんは、自身に数々あった機能不調に対して、自身で考えた訓練課題を実施し、効果のあった多くの刺激課題をもって、アロースミス・スクールを立ち上げている。

自身が深刻な機能不調状態であったが故に、真剣に取り組むことができ、考えた刺激課題は「機能不調な神経細胞（ニューロン）」を射止めていた。

神経学者のように詳しい神経学の知見がなくても、我々は、ＬＤ（学習機能不全／不調）のある人に刺激課題を持って、神経可塑性を目指すことができる。したがって、認知機能に焦点を当てたアプローチの今後の活動は、「刺激課題の研究」である。

次に、神経可塑性をもたらす方法として、トマティス博士のサウンドセラピーがある。これは、耳への刺激によって、脳の神経細胞（ニューロン）に可塑性をもたらすアプローチである。トマティス博士が開発した「電子耳」という特殊な装置を使って、内耳の機能を再構築する聴覚トレーニングである。

学習困難、コミュニケーション等の分野における聴覚改善教育プログラムとして、トマティス・メソッドは確立している。

7　トマティス・メソッドを受けている事例

筆者がちょうど、この書を執筆する準備をしていた去年の夏（２０２２年）、ある方からお手紙をいただいた。10年ほど前に、筆者の講演を聴いてくださった方で、直接に、お会いしたことはなかった。

以下、書かれてあったことを原文で紹介する。

「10年前、玉永先生の講座を聞かせていただきました。Yです。先生にお会いできたら、トマティスの療法についておききしたいと思っております。娘のこと今から書きますが、長文です。10年前のこと、小学校４年の娘（Y子）が、勉強をしても漢字テストの点数が取れないと悩んでいました。その年の11月に、『学習障害』のグレーだと診断されました。

娘はそのとき、自分は話を理解できないことがあるし、忘れっぽいと話してくれました。小さい頃から何をするのもスローで、私（母）は、かなり酷く叱責していました。小学校に入ってから忘れ物がふえて、油断したら上の空になっていたそうです。先生に何回も注意され、怒られ、絶対に忘れちゃいけないと、何回もカバンを見直したり、集中しなきゃと必死で先生の話を聞くけれど、わからなくなり、あれ？　おかしい、でも大きくなったら大丈夫になる、と思っていたらしいです。

小さい頃から絶対に失敗してはダメ、なんとかしなきゃと神経をつかい、周りをきにしていたので、いつも吐き気や腹痛があったと、最近になって聞きました。学校で友人とトラブルはなく、その頃の娘はまだ天真爛漫で明るかったです。友達に恵まれていたんだと思います。中学にはいるとき、もう一度検査をして、ハッキリと『ＬＤ』の診断を受けました。

このことを娘に伝えると、『学習障害』という、『障害』の言葉にひどく傷つきました。その事を誰かに知られたらどう思われるか、という恐怖や不安があったそうです。検査結果のフィードバックのとき、担当者から『あなたは人より劣っている』といわれたそうです。酷く傷つき自己肯定感はゼロになっていました。

今までの行動や発言をしたときの失敗の数々を思い、もう失敗したくないと、頑なに心を閉ざし、もう何も言わない、とにかく目立たないように、大人しくしておこうと決めた、と言い、心からの笑顔はなくなりました。

デイサービスに行かされた時も、分かりきっていることを「○○ちゃんよくできたね」と、幼な子に言うように、大袈裟に褒められ、傷つき、「あーここまで来たのか、私は」と、もう人生はおわりだと、愕然としたらしいです。

娘がポツリポツリと、自分の気持ちを話してくれるようになり、この事がわかったのは、ついここ半年~1年のことです。いつも娘とぶつかると『お母さんには分からない、何も気持ちが通じ合わない、分かってくれない』と、言っていました。

中学では入学前からコーディネーターの先生に状況を話し、週一回の吐き出し授業、放課後デイサービスで、学習支援に通いました。当時は、娘も私も、授業についていかないといけないと必死でした。テニス部活動をしていると、宿題に人の何倍も時間がかかり、睡眠不足になり両立が難しくなりました。学校にも宿題を減らすようデイサービスの心理士さんも同行してくれ交渉し、配慮もして頂きました。でも体力がもたず、睡眠がとれず、夏休み終わりに退部しました。

その心理士さんには娘は生きているだけで大変だから、除けるものはすべて除いてあげて、お母さんが出来ることは全てしてあげてください、と言われました。実はその事を守り、そのスタイルで、今の今まで来てしまいました。

夏休みの宿題は本当に大変でした。娘も泣きそうになりながら必死でやり、私もドリルを夜な夜な手伝って、何とか提出できました。

中2の2月、娘に突然『お母さん、もう私、学校いけないかもしれない』と泣きながら言われました。

私は『そうかあ』と言いました。娘は毎日すごく緊張してお腹が痛くなること。思春期独特の女子の人間関係で、自分以外、みんな部活の友達どうし仲良くしてること。授業で一人一人立たされて発表するとき、わからなくて、それでも先生が説明し続け、ずっと立たされて、頭が回らなくなり、泣いてしまったこと。などなど。

中学3年になり初めて、診療内科、思春期外来に行きました。娘はそのとき薬を処方され、学校に行く前に、1錠飲み始めました。少し、周りを気にすることが軽くなると、初めのうちは、言っていました。朝は私が車で送り、15分学校（別室）にいて、自分で帰る。「15分登校」を休みながら続けました。

家には私の父がいました。高齢の父はとても優しい無口な人でしたが娘が学校に行かないことには、サボっているのではないかと、理解出来ず、何回か、私や娘に、なんで行かないんや、と強く言うことがありました。家にいる時もリラックスできず、自室にこもりきりでした。

高校はオープンスクールに行きました。ある私学のオープンスクールで、コーラス部の歌声を聞き感動し、ここで歌いたいと、受験を決意。1月から学校の先生のサポートで受験勉強にとりくみ見事合格。高校にいったら本当の自分をだして頑張りたいと、一学期無遅刻無欠席。けれど、二学期が始まり、9月下旬から、また行けなくなりました。

そのころ、玄関を出た瞬間から、やることを頭で反復して、他のことを考えないようにしていました。それで、帰宅する瞬間まで緊張があり、疲れ果て、聴覚過敏、視覚過敏で、さらにどっと疲れると、言っていました。

そんなしんどい世界で生きているのかと、私は初めて娘の状態を知りました。（正に、ポール・マドールさんの書いた論文、Dyslexified World を生きていたようである。「筆者注」）。

それでも、何とか1年の単位を奇跡的にとることができ、2年に進級するも、やはり行けず退学。通信教育に転校するも、コロナ下で外出ができず、ずっとベッドの上で、YouTube やアニメや歌を歌う生活が、今年の春（2022）高校卒業まで、約3年半続きました。

通信では何とかレポート試験をクリアーして、評定3．0が奇跡的にありました。短大に行くことになり、受験に向けて、家庭教師にきてもらい小論文を教えて頂き、努力の結果、見事合格。この春入学し、娘は入学式で、涙したそうです。

短大の入学式の時、私は、1冊のノートを何気なく持ってきました。それは10年前、講演を聞いたときに記録したノートでした。図書館にいき、玉永先生の本を見つけて読みました。その中にトマティス博士の耳からの働きかけで、脳が刺激される療法が効果的で、海外でされているから日本でもすべきである、との一文に心が釘付けになりました。日本では東京と神戸にセンターがあるとのこと。すぐにでもさせたいと思うようになりました。

4月から張り切って、寮にもはいり優しい人ばっかりと、楽しく過ごしていましたが、すぐに体力、知力、メンタルもキャパオーバーとなり、欠席が続き、単位も危ない状況にあります。前期最高取れても6単位です。最高4年間在学出来るので、できるかぎりサポートしていきたいと思っています。」

Y子さんの状態は、本文に書いたロン・ミンソン医師の養女エリカさんに少し似ていると思った筆者は、トマティス・メソッドをやってみてはどうかと、勧めた。ちょうど、夏休みに入る直前だったので、リスニング・セラピーを受けると、決意をされていた。

休みになってセラピーを受け、15回の受動フェーズを終えたとき、暗く、笑顔のなかった本人が笑うようになり、明るく元気になったと、Yさんの家族全員が驚いていたという。

2022年秋の学園祭で、コーラス部の一員として舞台に立ち、笑顔で歌う本人の姿は、友人らを驚かせた。舞台で歌っている動画が、筆者にも送られてきたが、生き生きと、身振りを添えて歌っている姿は、以前とは別人のようだった。

その後、グループの学習発表会で、発表者に推薦されて、その準備をしているということであった。

トマティス・メソッドの第二フェーズは、春休み（2023年）に受けると言っていた。

そして、2023年3月末に、その春休みが終わり、第二フェーズが終ったYさんから連絡があった。明るく快活に振る舞うようになり、短大の新学期に向けて、履修登録等の作業を自ら進めている、生き生きとしたY子さんの様子が報告された。

２０２３年５月にお会いしたとき、ずっと苦しんでいた聴覚過敏、視覚過敏がすっかりなくなったとY子さんは喜んでいた。

おわりに

ＬＤ（学習機能不全／不調）は生涯治らない器質である、という過去の教えは払拭されました。過去において、ＬＤは治癒不可能であると、筆者が言い続けたことを訂正する目的で、この書を認めました。

神経可塑性によって、ＬＤは治癒可能であるということを述べるために必要な知識や理論を文献を通して教示してくださった方々、Ａ・Ｒ・ルリヤ博士、ノーマン・ドイジ博士、アルフレッド・トマティス博士、マーク・ローゼンツウェイグ博士、ザシェツキー氏、バーバラ・アロースミス・ヤング女史、ジェームス・バウアー氏、サンディ・エツライン夫人、高取憲一郎先生、河村満先生、「図解 脳の話」の著者、茂木健一郎博士、脳科学の歴史について学ばせていただいたローン・フランク博士、そして、神経可塑性を証明されたエリック・カンデル博士に心より感謝する次第であります。

今後は、バーバラさんが考案した「アナログ時計の読み練習」のような、洗練された刺激課題を開発することが、筆者の課題だと考えております。お読みになられた、神経学者や教育学者からのご指導がいただければ、幸いに存じます。

２０２３年夏

玉永公子

［参考文献］

（1）Sandi Ezrine, *A Primer on Dyslexia.* THE JEMICY SCOOL, OWING MILLS, MD, 1979.
（2）A・R・ルリヤ『失われた世界』杉下守弘・堀口健治訳、海鳴社、1980。
（3）中島義明他『心理学辞典』有斐閣、1999。
（4）Larry B. Silver, MD., *The Misunderstood Child.* Three Rivers Press, New York, 1984.
（5）James J. Bauer, *THE RUNAWAY LEARNING MACHINE: GROWING UP DYSLEXIA.* Educational Media, 1992.
（6）Barbara Arrowsmith-Young, *The Woman Who Changed Her Brain: How We Can Shape our Minds and Other Tales of Cognitive Transformation.* Simon & Schuster Paperbacks, 2012.
（7）玉永公子『ディスレクシアの素顔』論創社、2005。
（8）茂木健一郎『図解　脳の話』日本文芸社、2020。
（9）ノーマン・ドイジ『脳はいかに治癒をもたらすか――神経可塑性研究の最前線』高橋洋訳、紀伊國屋書店、2016。
（10）同『脳は奇跡を起こす』竹迫仁子訳、講談社インターナショナル、2008。
（11）長谷川寿一他『はじめて出会う心理学』改訂版、有斐閣アルマ、2015。
（12）河村満「ブロードマン没後99年に寄せて」医学界新聞、2017。
（13）ローン・フランク『闇の脳科学――「完全な人間」をつくる』赤根洋子訳、仲野徹解説、文藝春秋、2020。
（14）*READING WRITING AND SPELLING: The Multisensory Structured Language Approach.* The International Dyslexia

Association, 1960-1999.
(15) 高取憲一郎「ルリヤは『社会・心・脳』の関連をどのように考えたか」唯研第29回研究大会　分科会報告予稿集原稿、静岡大学、2006。
(16) Jim Baucom 'Learning disabilities' movement turns 50' The Washington Post, April 12, 2013.

［注］

（注1）『脳は奇跡を起こす』p.257参照。
（注2）『脳はいかに治癒をもたらすか』p.13参照。
（注3）同p.14参照。
（注4）『脳は奇跡を起こす』竹迫仁子翻訳の原文を引用、p.258参照。
（注5）『脳はいかに治癒をもたらすか』p.174参照。
（注6）同p.178-p.179参照。
（注7）『はじめて出会う心理学』p.253-p.254参照。
（注8）*The Woman Who Changed Her Brain*: Foreword by Norman Doige M.D., p.xiv参照。
（注9）『脳は奇跡を起こす』p.44-48参照。
（注10）*The Woman Who Changed Her Brain*, p.32参照。
（注11）同p.33参照。
（注12）19の認知機能については、p.154-p.171に掲載。
（注13）Larry B. Silver, M.D. 小児・思春期精神病医で、ワシントンD．C．にあるジョージタウン大学医療センターの臨床精神科教授。以前は国立精神保健研究所の部長。
（注14）*The Woman Who Changed Her Brain*, p.9参照。

（注15）同 p.11 参照。
（注16）同 p.9 参照。
（注17）『闇の脳科学』p.91-95 参照。
（注18）同 p.207 参照。
（注19）同 p.133 参照。
（注20）*The Woman Who Changed Her Brain*, p.33 参照。
（注21）唯研29回研究大会「分科会報告予稿集原稿」（２００６年10月22日、静岡大学）参照。
（注22）中島義明他『心理学辞典』p.325 参照。
（注23）『脳はいかに治癒をもたらすか』p.178-179 参照。
（注24）中島義明他『心理学辞典』p.646 参照。
（注25）『脳は奇跡を起こす』p.56 参照。
（注26）同 p.45 参照。
（注27）同 p.44-48 参照。
（注28）同 p.55 参照。
（注29）*A Primer on Dyslexia*, p.28 参照。この書の内容は、拙著『ディスレクシアの素顔』（論創社）に詳しく書いた。
（注30）『失われた世界』p.i 参照。
（注31）『脳は奇跡を起こす』p.53 参照。
（注32）『失われた世界』p.39 参照。
（注33）同 p.44 参照。
（注34）同 p.47-p.96 参照

（注35） *The Woman Who Changed Her Brain*, p.12 参照。

（注36） 同 p.29 参照。

（注37） 同 p.29-p.31 参照。

（注38） 『はじめて出会う心理学』 p.253-p.254 参照。

（注39） *The Woman Who Changed Her Brain*, p.31 参照。

（注40） 同 p.33 参照。

（注41） 同 p.32 参照。

（注42） 唯研29回研究大会『分科会報告予稿集原稿』 参照。

（注43） Definition of Learning Disfunction. Barbara Arrowsmith Young によって書かれた論文。
https://arrowsmithschool.org/description-of-learning-difficulties-addressed/

（注44） 河村満「ブロードマン没後99年に寄せて」（医学界新聞、２０１７年） 参照。

（注45） *The Woman Who Changed Her Brain*, APPENDIX 3 参照。

（注46） https://ja.wikipedia.org/w/index.php?title&oldid=83794521 ブロードマンの脳地図参照。

（注47） *The Woman Who Changed Her Brain*, APPENDIX 1, p.217-p.223 参照。

（注48） 『脳はいかに治癒をもたらすか』 p.431-p.433 参照。

（注49） 同前 p.433-p.436 参照。

（注50） 同 p.440-p.442 参照。

（注51） 同前 p.443-p.444 参照。

（注52） 『はじめて出会う心理学』 p.171-p.173 参照。

（注53） 『脳はいかに治癒をもたらすか』 p.445 参照。

（注54）同 p.445-p.448 参照。
（注55）同 p.448-p.451 参照。
（注56）同 p.451-p.454 参照。
（注57）同 p.454-p.455 参照。
（注58）同 p.456 参照。
（注59）同 p.456-p.457 参照。
（注60）同 p.496-p.497 参照。
（注61）同 p.498 参照。
（注62）同 p.502 参照。
（注63）同 p.502-p.505 参照。
（注64）同 p.178-p.183 参照。
（注65）同 p.509 参照。
（注66）同 p.510 参照。
（注67）同 p.505 参照。
（注68）同 p.510-p.511 参照。
（注69）同 p.510 参照。
（注70）『図解　脳の話』p.116 参照。
（注71）『図解　脳の話』p.117 参照。
（注72）出典：『広辞苑』EXWORD、Dataplus9 参照。
（注73）『脳はいかに治癒をもたらすか』p.494-p.495 参照。

（注74）同 p.512-p.513 参照。
（注75）同 p.511 参照。
（注76）同 p.482-p.486 参照。
（注77）『脳は奇跡を起こす』p.54-p.55 参照。
（注78）同 p.58-p.59 参照。
（注79）同 p.59 参照。
（注80）同 p.60-p.61 参照。
（注81）同 p.61-p.62 参照。
（注82）同 p.65 参照。
（注83）*The Woman Who changed Her Brain*, p.217-p.223 参照。
（注84）同 p.217-p.223 参照。

玉永　公子（たまなが・きみこ）
国立大分大学卒業。南カリフォルニア大学大学院修了。教育学修士（特殊教育学専攻）、教育学博士（教育心理学専攻）。
著書として、『用語「発達障害」批判』（論創社、2019年）、『特別教育 いま、マレーシアは』（ラピュータ、2016年）、『「発達障害」の謎――知的障害、自閉症、LD、ADHDとは何か』（論創社、2013年）、『ディスレクシアの素顔――LD状態は改善できる』（論創社、2005年）、『LDラベルを貼らないで！――学習困難児の可能性』（論創社、2000年）がある。

LDは治癒可能
学習するとニューロンの構造が変わる

2023年8月17日　初版第1刷印刷
2023年8月24日　初版第1刷発行

著　者　玉永公子
発行者　森下紀夫
発行所　論 創 社
東京都千代田区神田神保町 2-23　北井ビル
tel. 03（3264）5254　fax. 03（3264）5232
web. https://www.ronso.co.jp
振替口座 00160-1-155266
装　幀　奥定泰之
組　版　フレックスアート
印刷・製本　中央精版印刷

ISBN978-4-8460-2285-3　